Grammaire espagnole

D0063881

Marìa Dolores Reyero Jennepin

Grammaire espagnole

Librio

Inédit

SOMMAIRE

1

Orthographe et prononciation

1. Orthographe et prononciation

I. ALPHABET

L'alphabet espagnol comporte 29 lettres, dont 5 voyelles (a, e, i, o, u) et 24 consonnes :

a	a	h	hache	n	ene	t	te
b	be	i	i	ñ	eñe	u	u
c	ce	j	jota	o	o	v	uve
ch	che	k	ka	p	pe	w	uve doble
d	de	l	ele	q	cu	x	equis
e	e	ll	elle	r	erre	y	i griega
f	efe	m	eme	s	ese	z	zeta
g	ge						

☞ Lettres particulières à l'espagnol : ch, ll, ñ. Dans un dictionnaire espagnol, elles sont traitées comme des lettres à part entière.

☞ En espagnol, les lettres sont de genre féminin : *la be.*

☞ *En español, La Habana se escribe con be* (remarquer l'absence d'article).

II. PRONONCIATION

1. Voyelles : *a, e, i, o, u*

☺ En espagnol, les voyelles se prononcent toujours de la même façon :

a	comme dans le mot français « ma »	*ala*
e	comme dans le mot français « mes »	*tele*
i	comme dans le mot français « riz »	*militar*
o	comme dans le mot français « mot »	*solo*
u	comme dans le mot français « mou »	*luna*

☞ Lorsqu'une voyelle est suivie de m ou n, les deux sons restent distincts : *antes, vender, importante, sombra, mundo.*

☞ Lorsque deux (ou plus) voyelles se suivent, chaque voyelle est prononcée distinctement : *automóvil, veinte, miel, boina, puente.*

2. Consonnes

Orthographe	Prononciation
b et v	se prononcent de la même façon : [b]
ce, ci	se prononcent comme le « th » anglais (pointe de la langue entre les dents)
ch	= « tch » en français
gue, gui ga, go, gu	se prononcent comme en français « guerre », « guitare » « gâteau », « gomme », « goutte »
ge, gi ja, je, ji, jo, ju	se prononcent au fond de la gorge, comme le « h » anglais fortement aspiré
ll	se prononce comme « million » en français
ñ	= « gn » en français
r	le « r » espagnol n'est jamais prononcé au fond de la gorge (comme le « r » parisien) mais derrière les incisives supérieures. Deux sons « r » sont différenciés : a) le « r » simple : la pointe de la langue frappe une seule fois l'arrière des incisives supérieures b) le « r » multiple ou roulé : la pointe de la langue frappe plusieurs fois, et très rapidement, l'arrière des incisives supérieures
s	= « ss » en français (⚠ le s n'est jamais doublé en espagnol)
z	ne se prononce jamais comme en français. Comme pour le « th » anglais – dont la prononciation est très proche – il faut placer la pointe de la langue entre les dents

La prononciation de l'espagnol est simple et claire : à chaque lettre correspond un son et toutes les lettres se prononcent.

III. Orthographe

Il y a, néanmoins, quelques exceptions à cette règle générale de la prononciation :

1. Les lettres que l'on ne prononce pas

• h : toujours muet
    ola et *hola* se prononcent de la même façon.

1. Orthographe et prononciation

- u : muet (comme en français) dans les syllabes
  gue / gui   guerra, guitarra.
  que / qui   ¿Qué quieres?
  Dans le cas où le u doit être prononcé, un tréma l'indique : vergüenza.

2. Deux lettres pour écrire un même son

- Quelle que soit la voyelle qui suit le son :

- b = v (elles se prononcent toujours [b]) :
  ¡Viva Barcelona!

- y = ll en début de syllabe ou entre deux voyelles :
  rayar, rallar.

- y = i en fin de syllabe :
  estoy, estoico.

- r roulé ou multiple s'écrit :
  rr entre voyelles   perro
  r en début de mot   ritmo
  r après l/n/s   alrededor, sonrisa, Israel
  Dans les autres cas, r se prononce r simple : tractor, dromedario

- Selon la voyelle qui suit le son (changement devant e et i) :

- le son [x] s'écrit   ja, je, ji, jo, ju   jarra, jefe, jirafa, jota, jugo
  et   ge, gi   gente, gitano

- le son [g] s'écrit   ga, go, gu   gato, gota, gusto
  mais   gue, gui   guerra, guitarra

- le son [k] s'écrit   ca, co, cu   casa, cosa, cubo
  mais   que, qui   queso, quiso

- le son [θ] s'écrit   za, zo, zu   zarza, zorro, zurrón
  mais   ce, ci   celo, cielo

☞ **Les consonnes ne sont jamais doublées**, sauf c, r, l, n (consonnes de CaRoLiNe), mais :
rr n'a pas la même prononciation que r   pero ≠ perro
ll n'a pas la même prononciation que l   lama ≠ llama
cc se prononce [k] + [θ] (deux sons)   lección
nn se prononce [n] + [n] (deux sons)   innovación

☞ Vous ne trouverez jamais en espagnol :

th	mais t	*método*
ph	mais f	*fotografía*
rh	mais r	*ritmo*
qua, quo	mais **ca** [ka], **co** [ko]	*calidad, cotidiano*
ou	**cua** [kua], **cuo** [kuo]	*cualidad, cuota*
y après consonne,	mais i	*ciclismo, típico, físico*
st- ou sp-,	mais est-, esp-	*estilo, especial*

☞ Les points d'interrogation et d'exclamation sont placés au début (inversés) et à la fin d'une question ou d'une exclamation : *Si vas al cine, ¿me llamarás?, ¡Qué idea!*

IV. ACCENT TONIQUE ET ACCENT ÉCRIT

Tous les mots espagnols comportent une syllabe qui est prononcée plus fort (accent tonique, indiqué en gras dans les exemples). L'accent écrit (´) ne sert qu'à signaler les exceptions aux règles générales de prononciation :

1. *Mots en voyelle, en -n ou en -s : accent tonique sur l'avant-dernière syllabe*

España, francesa, alegre, moreno, americano
orden, viven, comen
españoles, tranceses, pensamos, crisis

Si l'accent tonique porte sur la dernière syllabe (exception à la règle), un accent écrit signale cette anomalie :

café, melón, francés

2. *Mots en consonne (sauf n et s) : accent tonique sur la dernière syllabe*

señor, español, libertad, sencillez, sutil

Si l'accent tonique porte sur l'avant-dernière syllabe (exception à la règle), un accent écrit signale cette anomalie :
fácil, carácter

1. Orthographe et prononciation

3. Accent tonique sur l'avant-avant-dernière syllabe (antépénultième) : il y a toujours un accent écrit

matemáticas, pájaro, efímero

☞ L'accent écrit peut apparaître sur n'importe laquelle des cinq voyelles : cámara, café, París, corazón, baúl.

☞ Les mots interrogatifs et exclamatifs portent toujours un accent écrit :
¿Cómo te llamas?
¡Qué casualidad!
Dime cuándo llegas.

☞ Les monosyllabes ne portent pas d'accent écrit (il n'a pas lieu d'être). Néanmoins, l'accent écrit sur un monosyllabe sert à différencier deux mots de même forme mais de signification ou valeur différente :

él (il)	el (le)
tú (tu)	tu (ton, ta)
mí (moi)	mi (mon, ma)
sí (oui)	si (si)
té (thé)	te (te)

4. Accent tonique et accent écrit dans un groupement de voyelles

Les cinq voyelles espagnoles se divisent en :

voyelles fortes :	a, e, o (les voyelles « rondes »)
voyelles faibles :	i, u (les voyelles « à bâton »)

Dans un groupement de voyelles :

a) forte + forte = deux syllabes
Chaque voyelle fait partie d'une syllabe (pas de diphtongue) et le mot suit les règles générales de prononciation et d'accentuation.

caer (ca-er), peón (pe-ón)

b) faible + faible = une syllabe (diphtongue)
L'accent porte sur la deuxième voyelle et le mot suit les règles générales de prononciation et d'accentuation.

ciudad (ciu-dad), cuidado (cui-da-do)

c) **faible + forte** ou **forte + faible** = une ou deux syllabes, selon l'accent tonique

- **une syllabe** quand l'accent tonique tombe sur la voyelle forte (ou sur une autre syllabe). Le mot suit les règles de l'accentuation :
  reina (rei-na), cantáis (can-táis), viento (vien-to)

- **deux syllabes** quand l'accent tombe sur la voyelle faible. Dans ce cas, la voyelle faible porte impérativement un accent écrit :
  frío (frí-o), país (pa-ís), Raúl (Ra-úl)

Remarquez la différence (prononciation et sens) entre
  hacia (ha-cia) et *hacía (ha-cí-a)*.

2

Les éléments de la phrase

2. Les éléments de la phrase

I. LE NOM

1. Le genre : masculin et féminin

Il est important de rappeler que :

• Le genre des noms n'est pas systématiquement le même en espagnol et en français :

> *el coche* (masculin) = la voiture (féminin)
> *la novela* (féminin) = le roman (masculin)

• Bien que la plupart des noms terminés en -o soient masculins et ceux terminés en -a soient féminins, il existe des exceptions : des féminins en -o, des masculins en -a et des noms qui présentent une autre terminaison.

a) Noms inanimés masculins

• **Les noms en -o :**
> *el cuerpo* (le corps), *un libro* (un livre), *el puerto* (le port)
> Exceptions :
> *la mano* (la main), *la radio* (la radio), *la moto(cicleta)*, *la foto(grafía)*

• **Les noms en -or :**
> *el calor* (la chaleur), *el color* (la couleur), *el tenedor* (la fourchette)
> Exceptions :
> *la flor* (la fleur), *la coliflor* (le chou-fleur), *la labor* (la tâche)

• **Les noms en -il :**
> *el perfil* (le profil), *el mandil* (le tablier)

• **Les noms en -án, -én, -ón (sauf en -ción, -sión) :**
> *el alquitrán* (le goudron), *el desdén* (le dédain), *el jabón* (le savon)

• **Les noms de fleuves, mers et montagnes :**
> *el Sena, el Mediterráneo, los Pirineos.*

b) Noms inanimés féminins

• **Les noms en -a :**
> *la mesa* (la table), *la casa* (la maison), *la cama* (le lit)
> Exceptions :
> – *un día* (un jour), *un mapa* (une carte géographique), *un planeta* (une planète)
> – quelques mots en -ama, -ema, -ima, -oma : *un programa* (un programme), *un problema* (un problème), *el clima* (le climat), *un diploma* (un diplôme), *un síntoma* (un symptôme).

- Les noms en -ad, -ed, -ud, -ez :
    la igualdad (l'égalité), *la ciudad* (la ville), *la sed* (la soif), *la red* (le filet, le réseau), *la juventud* (la jeunesse), *la salud* (la santé), *la sencillez* (la simplicité)

- Les noms en -ción, -sión :
    la canción (la chanson), *la televisión* (la télévision).

c) Noms inanimés en -e

Les noms qui se terminent en -e peuvent être masculins ou féminins :
    masculins : *el coche* (la voiture), *el tomate* (la tomate), *el baile* (la danse), *el diente* (la dent), etc.
    féminins : *la calle* (la rue), *la suerte* (la chance), *la fiebre* (la fièvre), *la mente* (l'esprit), *la simiente* (la semence), etc.

Mais en règle générale :
- Les mots terminés en -aje, -ambre (sauf *hambre*[1]) sont masculins :
    el paisaje (le paysage), *el alambre* (le câble)
- Les mots terminés en -ie, -umbre sont féminins :
    la serie (la série), *la superficie* (la superficie), *la cumbre* (le sommet)

d) Mots identiques à signification différente selon le genre

Sans changer de terminaison, quelques mots changent de sens selon qu'ils sont masculins ou féminins :

AU FÉMININ	AU MASCULIN
la frente (le front sur le visage)	*el frente* (le front d'une bataille)
la policía (la police)	*el policía* (le policier)
la pendiente (la pente)	*el pendiente* (la boucle d'oreille)
la cometa (le cerf-volant)	*el cometa* (la comète)
la editorial (maison d'édition)	*el editorial* (editorial)
la cólera (la colère)	*el cólera* (le choléra)
la orden (donner un ordre)	*el orden* (ordre, rangement)

e) Noms animés

Les noms animés (qui désignent des personnes ou des animaux[2]) demandent une différentiation de genre, qui peut se traduire par :

---

1. *hambre* (faim) est un mot féminin, mais au singulier il est précédé de l'article masculin puisqu'il commence par le son [a] accentué : *el hambre*, mais *un hambre canina* (une faim de loup), l'adjectif reste au féminin.
2. Quant aux noms d'animaux, certains d'entre eux sont soit masculins soit féminins : *la cebra* (le zèbre), *la ballena* (la baleine), *la serpiente* (le serpent), *el pez* (le poisson), *el gorila* (le gorille). Pour préciser le sexe, il suffit dans ce cas d'ajouter *macho* (mâle) ou *hembra* (femelle).

2. Les éléments de la phrase

- deux radicaux différents :
  - *el padre / la madre* (le père/la mère)
  - *el buey / la vaca* (le bœuf/la vache)
  - *el hombre / la mujer* (l'homme/la femme)
  - *el caballo / la yegua* (le cheval/la jument)

- masculin en -o et féminin en -a [1] :
  - *esposo / esposa* (époux, épouse)   *hijo / hija* (fils/fille)
  - *oso / osa* (ours/ourse)   *ganso / gansa* (jars/oie)

- masculin en consonne, féminin + a :
  - *doctor / doctora* (docteur)
  - *león / leona* (lion/lionne)
  - *ladrón / ladrona* (voleur/voleuse)
  - *juez / jueza* (juge)

- pour certains titres ou professions, on ajoute les terminaisons -esa, -isa, -triz pour obtenir le féminin :
  - *duque / duquesa* (duc/duchesse), *actor / actriz* (acteur/actrice)

- les noms animés en -ista, -ante et -ente peuvent être aussi bien masculins que féminins [2] :
  - *un / una deportista* (un sportif/une sportive)
  - *un / una periodista* (un/une journaliste)
  - *el / la cantante* (le chanteur/la chanteuse)
  - *el / la estudiante* (l'étudiant[e])
  - *el / la adolescente* (l'adolescent[e])
  - *el / la sirviente* (le serveur/la serveuse)

2. Le nombre : singulier et pluriel

a) Formation du pluriel

- + s quand le singulier termine en voyelle [3] :
  - *chico* (garçon)   → *chicos*   *chalé* (chalet)   → *chalés*
  - *chica* (fille)   → *chicas*   *sofá* (sofa)   → *sofás*
  - *hombre* (homme)→ *hombres*

---

1. Certains noms animés en -a sont masculins : *el Papa* (le pape), *el cura* (le curé), *el monarca* (le monarque), *el patriarca* (le patriarche), *el recluta* (la recrue), etc.
2. Et aussi : *el/la colega* (collègue), *el/la atleta* (athlète).
3. Les mots en -í acceptent les deux terminaisons de pluriel :
   colibrí (colibri) → *colibrís / colibríes*
   esquí (ski) → *esquís / esquíes*.

- **+ es** quand le singulier termine en consonne :

  señor (monsieur) → *señores*   *ley* (loi)   → *leyes*
  camión (camion) → *camiones*   *libertad* (liberté) → *libertades*

b) Pluriel des mots en -z et en -s

- singulier en **-z** → pluriel en **-ces** :

  una vez (une fois) → *varias veces* (plusieurs fois)

- singulier en **-s** → pluriel invariable (la dernière syllabe n'est pas tonique) :

  el/los lunes (lundi[s]), *el/los paraguas* (parapluie[s]), *el/los análisis* (analyse[s]), *la/las crisis* (crise[s])

- singulier en **-s** → pluriel en **-ses** (monosyllabes et mots en -s dont la dernière syllabe porte l'accent tonique) :

  el mes (mois)   → *los meses*
  un Francés (Français)   → *dos Franceses*
  el país (pays)   → *los países*

c) Changement de sens selon le nombre

AU SINGULIER	AU PLURIEL
la esposa (l'épouse)	*las esposas* (les menottes)
el padre (le père)	*los padres* (les parents)
el abuelo (le grand-père)	*los abuelos* (les grands-parents)
el tío (l'oncle)	*los tíos* (les oncles et les tantes)
el hermano (le frère)	*los hermanos* (les frères et sœurs)
el hijo (le fils)	*los hijos* (les enfants : fils et filles)

II. L'ARTICLE

1. L'article défini

L'article défini est employé devant un nom (comptable ou non) qui se réfère à un être vivant ou à une chose connus ou déjà identifiés.

a) Formes

	singulier	pluriel
masculin	el	los
féminin	la	las

2. Les éléments de la phrase

☞ Pas d'élision en espagnol : *el automóvil* (l'automobile)

☞ Deux formes au pluriel : *los* : masculin pluriel
las : féminin pluriel

☞ Les contractions :
al (a + el) *Vamos al cine.* (Nous allons au cinéma.)
del (de + el) *Venimos del cine.* (Nous venons du cinéma.)
Il n'y a pas de contraction au pluriel : *a las esposas de los ausentes* (aux épouses des absents)

b) Emplois propres à l'espagnol

• *el* + nom féminin singulier commençant par [a] (orthographe a- ou ha-) tonique : *el agua clara* (l'eau claire)
Mais : *las aguas claras* (le nom est au pluriel)
la alta montaña (la haute montagne ; *alta* est un adjectif)

• *el* + infinitif (substantivation de l'infinitif) :
el cantar de mi canario (le chant de mon canari)

• *el que* + subjonctif :
el que cante me consuela (le fait qu'il chante me console)

• *el / los* + jour de la semaine :
– le singulier indique un jour précis (passé ou à venir) :
El lunes fui al cine. (Lundi dernier, je suis allé au cinéma.)
El sábado iré al cine. (Samedi prochain, j'irai au cinéma.)
– le pluriel indique la fréquence ou la répétition :
Los domingos voy al cine. (Le dimanche, je vais au cinéma.)

• préposition (sauf *con*) + *los* + âge :
A los trece años cambió de colegio. (À treize ans il changea d'école.)

• *la / las* + heure ou moment de la journée :
Es la una de la tarde. (Il est une heure de l'après-midi.)
Son las diez de la mañana. (Il est dix heures du matin.)

• *el señor, los señores, la señora, las señoras, la señorita, las señoritas*, quand on parle de la personne :
El señor García es un cirujano eminente. (M. García est un éminent chirurgien.)
Mais pas quand on parle à la personne : *Buenos días, señor García.*

c) Absence de l'article défini en espagnol

* devant un nom de pays ou de province non qualifié :
  Recorrimos Francia, Suiza, Italia y España.
  (Nous avons parcouru la France, la Suisse, l'Italie et l'Espagne.)
  Mais : *Visitamos la España musulmana.*
  (Nous avons visité l'Espagne musulmane.)
  Exceptions : *El Salvador, la Unión Soviética, (los) Estados Unidos, (la) China, (el) Japón, (el) Perú, (el) Brasil, (la) India.*

* devant *casa / misa / clase / pesca* non determinés :
  Fuimos a misa y después regresamos a casa.
  (Nous sommes allés à la messe et après nous sommes rentrés chez nous.)

* devant un superlatif relatif, après un nom précédé d'un article ou d'un possessif :
  Es su obra más famosa. (C'est son œuvre la plus connue).

* dans les expressions :
  a principios / a mediados / a finales de año (au début/au milieu/à la fin de l'année)
  por primera / por última vez (pour la première/dernière fois)

2. *L'article neutre* lo

Toujours singulier, *lo* devant un adjectif masculin singulier ou un participe passé substantivise ces formes ; il peut se traduire par « ce qui est », « ce qu'il y a de » :

  lo heroico (el heroísmo) (ce qui est héroïque)
  lo mismo (la misma cosa) (la même chose)
Remarquez la différence :
  lo bueno (ce qui est bon)   *el bueno* (le gentil)
  lo contrario (le contraire)   *el contrario* (l'adversaire)

Lo + adjectif comble parfois le manque d'un nom abstrait : *lo insólito* (l'insolite).

☞ *lo* sert aussi à former quelques expressions et locutions :
  lo más posible (le plus possible)
  lo menos posible (le moins possible)
  lo mismo (la même chose)

lo *que* (ce que)
lo *demás* (le reste)
lo *de siempre* : comme d'habitude
por lo *menos* (au moins)
por lo *cual* (donc)
por lo *tanto* (par conséquent)
a lo *lejos* (au loin)

☞ **Lo** + adjectif + que = combien, comme (sens exclamatif)
No te imaginas **lo** *encantador que es.*
(Tu ne peux imaginer comme il est charmant !)

☞ **Por lo** + adjectif + que = tellement, tant, à cause de
No me gusta **por lo** *falso que es.*
(Il ne me plaît pas tellement il est faux.)

☞ **Lo** + pronom possessif = ce qui est à moi/toi..., ce qui me/te...
concerne
Todo **lo** *mío es* *tuyo.* (Tout ce qui est à moi est à toi.)

☞ **Lo de** = ce qui concerne, l'affaire de, les affaires de
Me contó **lo de** *ayer.* (Il m'a raconté ce qui est arrivé hier.)
Lo de *Ana está ahí.* (Les affaires d'Ana sont là.)

3. L'article indéfini

L'article indéfini est employé devant un nom qui se réfère à un être vivant ou à une chose non encore identifiés ou non connus.

a) Formes

	singulier	pluriel
masculin	un	
féminin	una	

☞ Remarquez l'absence d'article indéfini pluriel.

☞ *un* + nom féminin singulier commençant par [a] (orthographe a- ou ha-) tonique :
Tengo **un** *hambre canina.* (J'ai une faim de loup.)

☞ Le partitif français [1] (du, de la, des) ne se traduit pas :
Por la mañana, bebo leche y como pan. (Le matin, je bois du lait et mange du pain.)

☞ Pas d'article indéfini devant :

otro	*otro libro* (un autre livre)
cierto	*con cierta ironía* (avec une certaine ironie)
tal	*tal cosa* (une telle chose)
semejante	*semejante actitud* (une telle attitude)
medio/cuarto	*medio/cuarto kilo* (un demi-kilo/un quart de kilo)

b) **Emplois de *unos* / *unas***

• *unos* / *unas* = des

— en début de phrase : *Unas chicas se pusieron a cantar.* (Des filles se mirent à chanter.)

— devant un adjectif ou un participe passé substantivé : *Son unos inconscientes.* (Ce sont des inconscients.)

• *unos* / *unas* = des (objets par paire)
Me regaló unos calcetines. (Il m'a offert des chaussettes.)

• *unos* / *unas* = quelques
Me regaló unos libros. (Il m'a offert quelques livres.)

• *unos* / *unas* = nombre approximatif (à peu près)
unas veinte personas (à peu près vingt personnes)

---

1. Ne pus confondre le partitif français avec la préposition « de » suivie de l'article défini.
Comparez : *¿Quieres Ø pan? ¿Quieres Ø mermelada? ¿Quieres Ø cereales?*
(partitif : Veux-tu du pain ? Veux-tu de la confiture ? Veux-tu des céréales ?)
El libro del chico / de la chica / de los chicos / de las chicas
(de + article : Le livre du garçon / de la fille / des garçons / des filles).

2. Les éléments de la phrase

III. Les pronoms personnels

1. Généralités

a) Formes

Sujet	Après prép.[1]	C.O.D.	C.O.I.	Réfléchi
yo	mí		me	
tú	ti		te	
él ella usted		lo/le la lo/le/la	le	se
nosotros nosotras			nos	
vosotros vosotras			os	
ellos ellas ustedes		los/les las los/les/las	les	se

☞ L'espagnol différencie **masculin / féminin** :
à la 1ʳᵉ et 2ᵉ personne du pluriel : *nosotros / as, vosotros / as*
à la 3ᵉ personne du pluriel (C.O.D.) : *los / las*

b) Tutoyer et vouvoyer en espagnol
Le tutoiement est plus fréquent en espagnol qu'en français.

• tutoyer = **2ᵉ personne** du singulier en s'adressant à une personne et du pluriel en s'adressant à plusieurs personnes :
¿A dónde vas? (Où vas-tu ?)
¿A dónde vais? (Où allez-vous = toi et toi ?)

• vouvoyer = **3ᵉ personne** du singulier en s'adressant à une personne et du pluriel en s'adressant à plusieurs personnes[2] :

---

1. Pour la préposition *con* et le pronom réfléchi après préposition *sí*, voir plus bas.
2. Remarquez que l'espagnol fait la différence entre vouvoyer (vous de politesse) une personne et vouvoyer (vous de politesse) plusieurs personnes. Le « vous » français a trois valeurs distinctes, qui demandent une traduction différente en espagnol :
« Où allez-vous ? »
vous = toi + toi ⇨ *¿A dónde vais?* (2ᵉ pers. pl.)
vous = vous (monsieur) ⇨ *¿A dónde va?* (3ᵉ pers. sing.)
vous = vous (messieurs) ⇨ *¿A dónde van?* (3ᵉ pers. pl.)

¿A dónde va (usted)? (Où allez-vous, monsieur ?)
¿A dónde van (ustedes)? (Où allez-vous, messieurs ?)

2. Les pronoms personnels sujets

yo	L'espagnol utilise très rarement les pronoms personnels
tú	sujets, la terminaison du verbe suffit à indiquer la personne : *Hablo* (je parle)
él / ella / usted	*hablas* (tu parles)
nosotros / nosotras	*habla* (il/elle parle, vous parlez – vouvoyer une personne) *hablan* (ils/elles parlent, vous parlez – vouvoyer plusieurs
vosotros / vosotras	pers.)
ellos / ellas / ustedes	*los Españoles hablamos mucho* (nous les Espagnols, nous...)

☞ Le pronom français « on » n'a pas d'équivalent en espagnol. Plusieurs possibilités :
- 1re personne du pluriel :
    ¿Vamos al cine? (On va au cinéma ? on = nous)
- se + 3^e personne (accord du verbe avec le nom qui le suit) :
    Se habla español. (On parle espagnol ; on = les gens, en général.)
    Se hablan cuatro lenguas. (On parle quatre langues.)
- 3e personne du pluriel :
    Llaman a la puerta. (On frappe à la porte ; on – quelqu'un.)
- uno / una :
    Una no sabe qué hacer. (On ne sait pas que faire ; on = moi.)

☞ Les pronoms personnels sujets sont utilisés dans les cas suivants :

- pour éviter une ambiguïté :
    Ella esperaba que yo dijera algo. (Elle attendait que je dise quelque chose.)
    Yo esperaba que ella dijera algo. (J'attendais qu'elle dise quelque chose.)

- pour marquer une opposition entre deux personnes :
    Nosotros queremos ir a Madrid y ellos a Toledo.
    (Nous voulons aller à Madrid et eux, ils veulent aller à Tolède.)

- pour insister sur la personne (là où le français emploie deux pronoms) :
    El sabía de qué hablaban. (Lui, il savait de quoi ils parlaient.)

2. Les éléments de la phrase

- seuls, quand le verbe est absent, et après *y*, *ni*, *o* :
  ¿Quién lo ha hecho? Yo. (Qui l'a fait ? Moi.)
  No tengo entrada. ¿Y tú? ¡Ni tú ni yo! (Je n'ai pas de billet, et toi ?
  Ni toi ni moi.)

Place du pronom sujet
Généralement placé devant le verbe, il le suit :
– dans la phrase interrogative :
  ¿Cuándo llegará usted? (Quand arriverez-vous ?)
– comme figure de mise en relief :
  Fui yo el primero en decirlo. (C'était moi le premier à le dire.)
– avec un infinitif, un participe passé ou un gérondif (langue soutenue) :
  *Una vez llegado tú..., Al llegar usted..., Siendo nosotros españo-
  les...*

3. Pronoms personnels après une préposition

	Réfléchi	
mí		Après une préposition, l'espagnol emploie les pro-
ti		noms sujets sauf pour la 1re et la 2e personne du
él/ella/usted	*sí*	singulier qui ont des formes spécifiques : *mí, ti*.
nosotros/nosotras		*Lo ha traído para ti.* *Lo ha traído para usted.*
vosotros/vosotras		*Se dirige hacia mí.* *Se dirige hacia nosotros.*
ellos/ellas/ustedes	*sí*	*A mí me parece bien.* *A ellos les parece bien.*

☞ *Entre, excepto, salvo, hasta* (même), *incluso, menos, según* sont
suivis de la forme sujet (*tú* et *yo*) :
  Entre tú y yo lo conseguiremos. (Entre toi et moi nous y arriverons.)
  Incluso tú puedes solicitarlo. (Même toi tu peux le demander.)
  Todos lo sabían excepto yo. (Ils le savaient tous sauf moi.)

☞ *Sí* (soi) est employé quand il désigne la même personne que le sujet.
Comparez :
  Ana está orgullosa de ella. (Ana est fière d'elle ; elle = quelqu'un
  d'autre.)
  Ana está orgullosa de sí (misma). (Ana est fière d'elle ; elle =
  elle-même.)

☞ La préposition con présente des formes particulières :
— 1re et 2e personnes du singulier :
    conmigo (avec moi) :¿*Vendrás conmigo?* (Viendras-tu avec moi ?)
    contigo (avec toi) : *Sí, iré contigo.* (Oui, j'irai avec toi.)
— 3e personne du singulier, quand il désigne la même personne que le sujet :
    consigo (réfléchi)
Comparez :
    Pedro suele llevarlo **consigo.** (Pierre a l'habitude de l'apporter avec lui ; lui = Pierre.)
    Pedro suele hablar **con él.** (Pierre a l'habitude de parler avec lui ; lui = quelqu'un d'autre.)

4. *Pronoms personnels compléments*

Comme en français, les pronoms personnels compléments ont une forme différente (C.O.D. ou C.O.I.) uniquement pour les troisièmes personnes, dont le vous de politesse :

Espagnol		Français	
C.O.D.	C.O.I.	C.O.D.	C.O.I.
me		me	
te		te	
lo/la	le	le/la	lui
nos		nous	
os		vous	
los/las	les	les	leur

a) Pronoms compléments de 3e personne

• Pronoms C.O.D. Ils remplacent des noms animés ou inanimés [1] :
féminin : *la, las*   masc. inanimé : *lo, los*   masc. animé : *lo/le, los/les*

[A María]	*La veo.*	[María] Je la vois.
[A usted, señora]	*La veo.*	[Vous, madame] Je vous vois.
[Esa historia]	*La conozco.*	[Cette histoire] Je la connais.

---

1. ☞ En espagnol, le C.O.D. de personne est introduit par la préposition *a* (comme le C.O.I.) :
   Hablo a Ana.   (Je parle à Ana = C.O.I. → Je lui parle.)   *Le hablo.*
   Veo a Ana.   (Je vois Ana = C.O.D.   → Je la vois.)   *La veo.*

2. Les éléments de la phrase

[Las flores]	*Las* compro.	[Les fleurs] Je les achète.
[El libro]	*Lo* devuelvo.	[Le livre] Je le rends.
[Los cuentos]	*Los* compro.	[Les contes] Je les achète.
[A Juan]	*Le/lo* veo.	[Juan] Je le vois.
[A usted, señor]	*Le/lo* veo.	[Vous, monsieur] Je vous vois.
[A tus hermanos]	*Les/los* invito.	[Tes frères] Je les invite.
[A ustedes]	*Les/los* invito.	[Vous, messieurs] Je vous invite.

• **Pronoms C.O.I.** Ils remplacent des noms animés ; la forme est la même pour le masculin et le féminin : *le, les*.

[A María]	*Le* da un libro.	[À María] Il lui donne un livre.
[A Juan]	*Le* da un libro.	[À Juan] Il lui donne un livre.
[A usted]	*Le* da un libro.	[À vous, monsieur] Il vous donne un livre
[A Juan y a María]	*Les* da un libro.	[À Juan et Marie] Il leur donne un livre.
[A ustedes]	*Les* da un libro.	[À vous, messieurs] Il vous donne un livre.

☞ *Le* et *les* sont souvent employés quand le C.O.I. est déjà exprimé dans la phrase : *Le dije a tu hermana que no vendría.* (J'ai dit à ta sœur que je ne viendrais pas.)

b) Ordre des pronoms compléments

☺ En espagnol, le pronom C.O.I. précède toujours le pronom C.O.D., où qu'ils soient placés :
   Te lo doy. (Je te le donne.)
   ¡Dámelo! (Donne-le-moi !)

☞ Quand il s'agit de deux pronoms de 3e personne, le pronom C.O.I. (**le, les**) devient **se** devant le pronom C.O.D. :

se lo le lui le leur vous [de politesse] le	Dar un libro	a Juan a María a los dos a usted a ustedes	Se lo doy.
se la la lui la leur vous [de politesse] la	Dar una flor	a Juan a María a los dos a usted a ustedes	Se la doy.
se los se las les lui les leur vous [de politesse] les	Dar libros	*a Juan* *a María* *a los dos* *a usted* *a ustedes*	Se los*doy.*
	Dar flores	*a Juan* *a María* *a los dos* *a usted* *a ustedes*	Se las *doy.*

c) Place des pronoms compléments

En respectant toujours l'ordre (C.O.I. + C.O.D.) :
— avant le verbe en règle générale :
    ¿Me lo presentas? (Tu me le présentes ?)
    Se lo he dicho mil veces. (Je le lui ai dit mille fois.)

— mais **après l'impératif** [1] (comme en français), et aussi **après l'infinitif et le gérondif**, en enclise, soudé à la fin de la forme verbale :
    ¡Siéntate y enséñamelo! (Assieds-toi et montre-le-moi !)
    Alejándose (En s'éloignant.)

Remarque : Deux possibilités dans les constructions « verbe conjugué + infinitif / gérondif » [2] : soit devant le verbe conjugué soit après l'infinitif ou le gérondif, en enclise :
    Lo estoy leyendo. / *Estoy leyéndolo.* (Je suis en train de le lire.)
    Se lo quiero dar. / *Quiero dárselo.* (Je veux le lui donner.)

---

1. Mais pour l'interdiction ou impératif négatif, le pronom reste devant le verbe (subjonctif présent) : *¡No lo hagas!* (Ne le fais pas !)
2. Jamais, comme en français, entre le verbe conjugué et l'infinitif.

5. *Pronoms réfléchis*

	Avec prép.	
me		Les pronoms réfléchis se rapportent toujours au sujet ; ils sont compléments d'objet direct ou indirect.
te		
se	consigo, sí	Ils sont utilisés avec les verbes pronominaux et avec des verbes non pronominaux pour indiquer une appropriation de l'action par le sujet :
nos		
os		*Me llamo Ana.* (Je m'appelle Ana.)
se	sí	*Se comió mi parte.* (Il a mangé ma part.)

☞ *Se* (se) et *sí* (soi, utilisé après une préposition) peuvent indiquer la réciprocité :

Se llaman todos los días. (Ils s'appellent tous les jours.)

Se ayudan entre sí. (Ils s'aident entre eux.)

☞ *Consigo* est uniquement employé quand il désigne la même personne que le sujet (voir plus haut, pronoms après préposition).

☞ Les pronoms réfléchis de 1re et 2e personne (singulier et pluriel) ont la même forme que les pronoms compléments. Seule la 3e personne possède une forme particulière :

C.O.I.	C.O.D.	Réfléchi	Exemples	
	me		C.O.I. C.O.D. réfléchi	*Me* dio el libro. *Me* vio. *Me* siento.
	te		C.O.I. C.O.D. réfléchi	*Te* dio el libro. *Te* vio. *Te* sientas.
le	lo/la	se	C.O.I. C.O.D. réfléchi	*Le* dio el libro. *Lo/la* vio. *Se* sienta.
	nos		C.O.I. C.O.D. réfléchi	*Nos* dio el libro. *Nos* vio. *Nos* sentamos.
	os		C.O.I. C.O.D. réfléchi	*Os* dio el libro. *Os* vio. *Os* presentáis.
les	los/las	se	C.O.I. C.O.D. réfléchi	*Les* dio el libro. *Los/las* vio. *Se* sientan.

IV. L'ADJECTIF QUALIFICATIF

L'adjectif qualificatif exprime une qualité ou précise le sens du nom qu'il accompagne. Il s'accorde avec celui-ci en genre et en nombre.

1. Genre : formation du féminin

a) masculin ≠ féminin :
masculin en -o ⇨ *féminin en -a :*

claro / clara	(clair, claire)
pequeño / pequeña	(petit, petite)
rojo / roja	(rouge)

masculin en -án, -ín, -ón, -dor, -tor, -sor ⇨ *féminin + a :*

holgazán / holgazana	(paresseux, paresseuse)
peleón / peleona	(bagarreur, bagarreuse)
seductor / seductora	(séducteur, séductrice)

☞ Remarquez la disparition de l'accent écrit au féminin (voir règles de l'accent)

b) masculin = féminin
adjectifs terminés en consonne – autre que celles indiquées en a) ou en -a, -e, -í, -ú :

fácil (facile)	*frugal* (frugal[e])	*azul* (bleu[e])
anterior (antérieur[e])	*ejemplar* (exemplaire)	*superior* (supérieur[e])
gris (gris[e])	*cortés* (courtois[e])	*voraz* (vorace)
soez (grossier[ère])	*feliz* (heureux[euse])	*feroz* (féroce)
agrícola (agricole)	*rosa* (rose)	*violeta* (violet[te])
triste (triste)	*verde* (vert[e])	*baladí* (futile)

c) Cas particulier : adjectifs de nationalité
masculin en -o, féminin en -a :

colombiano/a (colombien[ne])	*italiano/a* (italien[ne])

les autres, féminin + a :

francés / francesa (français[e])	*español / española* (espagnol[e])

invariables :

belga (belge)	*marroquí* (marocain[e])

2. Nombre : formation du pluriel

a) + s quand le singulier termine en voyelle atone :

lento (lent) → *lentos*	*lenta* (lente) → *lentas*
alegre (joyeux[euse]) → *alegres*	*triste* (triste) → *tristes*

2. Les éléments de la phrase

b) **+ es** quand le singulier termine en consonne ou en voyelle accentuée :
seductor (séducteur) → *seductores* *superior* (supérieur) → *superiores*
cortés (courtois[e]) → *corteses* *fácil* (facile) → *fáciles*
baladí (futile) → *baladíes* *feliz* (heureux[euse]) → *felices*

c) Cas particulier : **les adjectifs composés indiquant une couleur sont invariables :**
la camisa / los pantalones azul marino
 (la chemise/les pantalons bleu marine)
la falda / los calcecites verde aceituna
 (la jupe / les chaussettes vert olive)
la bufanda / los guantes amarillo claro
 (l'écharpe / les gants jaune clair)

3. Degré

a) Comparatif
On compare les qualités de deux noms (ou plus) ou bien deux qualités d'un nom.
– supériorité : *más... que*   *Ana es más guapa que María.*
                                (Ana est plus jolie que María.)
– égalité :   *tan... como*   *Ana es tan guapa como María.*
                                (Ana est aussi jolie que María.)
– infériorité : *menos... que* *Ana es menos guapa que María.*
                                (Ana est moins jolie que María.)

Comparatifs irréguliers
grande (grand[e], âgé[e]) → *mayor*   *pequeño/a* (petit[e]) → *menor*
bueno/a (bon[ne]) → *mejor*   *malo/a* (mauvais[e]) → *peor*

b) Comparatif superlatif
On compare la qualité d'un nom avec la même qualité d'un groupe (supériorité ou, moins employé, infériorité).
– supériorité : *el/la/los/las más... (de)*
    la más guapa (la plus belle)
– infériorité : *el/la/los/las menos... (de)*
    la menos guapa (la moins belle)

c) Superlatif absolu
On accentue la qualité de l'adjectif :
– *muy* devant l'adjectif   *muy guapa* (très belle)

– avec le suffixe *-ísimo/a/os/as*[1]   *guapísima* (très belle)
– avec les préfixes *re-/requete-/*   *requeteguapa* (très, très belle)
   super-/extra-...

d) Intensificateurs de l'adjectif

Pour nuancer, intensifier, affaiblir les qualités, on peut employer :
– *algo, nada, un poco, extraordinariamente...* devant l'adjectif :
   Es extraordinariamente guapa. (Elle est extraordinairement belle.)

– un suffixe augmentatif, diminutif, affectif : *-ón/-ona, -ote/a, -ito/a...*
   El es grandote y ella pequeñita. (Il est très grand et elle très petite.)

– pour les couleurs, les suffixes : *-ado/a, -áceo/a, -ino/a, -izo/a...*
   azulado (bleuté)   *violáceo* (violacé)
   blancuzco (blanchâtre) *rojizo* (rougeâtre)

4. Place de l'adjectif

L'adjectif est placé généralement après le nom :
   un coche rápido (une voiture rapide)
   unos alumnos inteligentes (des élèves intelligents)

☞ L'adjectif qualificatif placé devant le nom (emploi plutôt littéraire) met en valeur une qualité de celui-ci : *su leal compañera* (sa loyale compagne)

☞ Apocope de l'adjectif devant le nom :

grande[2] → *gran* + nom   *una gran casa* (une grande maison)
                            un gran jardín (un grand jardin)

malo   → *mal* + nom   *un mal momento* (un mauvais moment)
                        (Mais : *una mala idea*, une mauvaise idée)

bueno → *buen* + nom   *un buen libro.* (un bon livre)
                         (Mais : *una buena idea*, une bonne idée)

---

1. Quelques adjectifs forment leur superlatif avec le suffixe culte *-érrimo/a/os/as* : *paupérrimo* (très pauvre).
2. Rappel : *grande*, invariable masculin/féminin.

2. Les éléments de la phrase

☞ Sens différent de quelques adjectifs selon leur place :
un pobre hombre ≠ *un hombre pobre*
(un pauvre homme ≠ un homme pauvre)
su nueva casa ≠ *una casa nueva*
(sa nouvelle maison ≠ une maison neuve)
su antigua casa ≠ *una casa antigua*
(son ancienne maison ≠ une maison ancienne)

5. Substantivation de l'adjectif

Elle peut être :
* permanente (avec l'usage, l'adjectif est devenu un nom) :
periódico/a (périodique)   *el periódico* (le journal)

* occasionnelle (article ou déterminant devant l'adjectif) :
¿Ves esos coches? El pequeño es mío y el grande de Ana
(Tu vois ces voitures-là ? La petite est à moi et la grande à Ana.)

* *lo* + adjectif masculin singulier (voir plus haut, page 24)
lo heroico (el heroísmo) (ce qui est héroïque)
lo mismo (la misma cosa) (la même chose)

V. LES POSSESSIFS

1. Forme atone (adjectifs possessifs)

Leur forme dépend de la personne du possesseur. Les adjectifs possessifs se placent devant le nom qu'ils accompagnent, avec lequel ils s'accordent en nombre et – pour la première et la deuxième personnes du pluriel – en genre.

Possesseur	+ nom singulier		+ nom pluriel		Exemples
	Masc.	**Fémin.**	**Masc.**	**Fémin.**	
[yo]	*mi*		*mis*		*mi padre /tu madre* (mon père / ma mère) *mis padres* (mes parents)
[tú]	*tu*		*tus*		*tu padre / tu madre* (ton père / ta mère) *tus padres* (tes parents)

Possesseur	+ nom singulier		+ nom pluriel		Exemples
	Masc.	Fém.	Masc.	Fém.	
[él, ella, usted]	su		sus		su padre / su madre (son père / sa mère) (votre père / mère) sus padres (ses parents) (vos parents)
[nosotros, nosotras]	nuestro	nuestra	nuestros	nuestras	nuestro padre (notre père) nuestra madre (notre mère) nuestros libros (nos livres) nuestras ideas (nos idées)
[vosotros, vosotras]	vuestro	vuestra	vuestros	vuestras	vuestro padre (votre père) vuestra madre (votre mère) vuestros libros (vos livres) vuestras ideas (vos idées)
[ellos, ellas, ustedes]	su		sus		su padre / su madre (leur père / mère) (votre père / mère) sus padres (leurs parents) (vos parents)

☞ *Su* et **sus** (troisième personne) renvoient à plusieurs traductions :
 su casa : sa maison, leur maison, votre maison (vous de politesse)
 sus casas : es maisons, leurs maisons, vos maisons (vous de politesse)
Employés comme possessifs de la forme de politesse, *de usted(es)* ajoutés après le nom, permettent d'éviter la confusion :
 su casa de usted, *su casa de ustedes.*

☞ Les adjectifs possessifs sont moins employés qu'en français :
 Ponte el abrigo. (Mets ton manteau.)
 Se gana la vida así. (Il gagne sa vie ainsi.)
 Me robaron el coche. (On a volé ma voiture.)

2. Les éléments de la phrase

2. *Forme tonique (adjectifs et pronoms)*

Possesseur	+ nom singulier		+ nom pluriel	
	Masc.	Fém.	Masc.	Fém.
[yo]	mío	mía	míos	mías
[tú]	tuyo	tuya	tuyos	tuyas
[él, ella, usted]	suyo	suya	suyos	suyas
[nosotros, nosotras]	nuestro	nuestra	nuestros	nuestras
[vosotros, vosotras]	vuestro	vuestra	vuestros	vuestras
[ellos, ellas, ustedes]	suyo	suya	suyos	suyas

Précédées de l'article défini, les formes toniques exercent le rôle de pronoms possessifs (qui remplacent ou rappellent le groupe « adjectif possessif + nom ») :

¿Los pasaportes? El mío está aquí, el tuyo también pero el suyo no lo veo (Les passeports ? Le mien est ici et le tien aussi, mais le sien, je ne le vois pas.)

Emplois particuliers à l'espagnol

☞ Après le verbe *ser* pour indiquer la possession :
¿Es tuyo? Sí, es mío. (Il est à toi ? Oui, il est à moi.)

☞ Lo mío/tuyo/suyo... = ce qui est à moi / à toi / à lui... :
Aquí está lo mío y ahí lo tuyo. (Voici mes affaires et voilà les tiennes.)
Lo suyo es la escalada. (Ce qu'il aime, c'est l'escalade.)

☞ Après le nom, précédé ou non par un autre déterminant :
Un amigo mío. (Un ami à moi.)
¡Cuántos regalos tuyos! (Que de cadeaux de ta part !)

☞ Après le nom, dans certaines tournures :
¡Dios mío! (Mon Dieu !)
¡Vida **mía**! (Mon amour !)
Muy señores **míos** / **nuestros**. (Chers messieurs.)

☞ Dans certaines locutions :
a pesar **mío** / **tuyo**... (malgré moi / toi...)
en favor **mío** / **tuyo**... (en ma / ta faveur)
por culpa **mía** / **tuya**... (à cause de moi / de toi...)

VI. LES DÉMONSTRATIFS

Les démonstratifs permettent de situer dans l'espace ou dans le temps. L'espagnol utilise trois « séries » qui correspondent *grosso modo* aux trois personnes grammaticales. Les démonstratifs s'accordent en genre et en nombre avec le substantif qu'ils accompagnent (adjectifs démonstratifs) ou remplacent (pronoms démonstratifs).

Adjectifs ou pronoms démonstratifs				Pronoms démonstratifs neutres
Singulier		Pluriel		
Masc.	Fém.	Masc.	Fém.	
este	esta	estos	estas	esto
ese	esa	esos	esas	eso
aquel	aquella	aquellos	aquellas	aquello

Le choix du démonstratif se fait par rapport à la position du sujet parlant :
- *Señora, ¿ese es su equipaje?*
- *No, no es este ni ese a su lado ; quizás sea aquel que está al fondo.* (Madame, ce bagage est à vous ? Non, ce n'est pas celui-ci, ni celui qui est à côté de vous, mais peut-être celui-là au fond.)

— *este, esta...* désignent une personne, objet ou événement proche dans l'espace, le temps ou le discours :
   Este libro que tengo entre las manos es muy interesante.
   (Ce livre que j'ai entre les mains est très intéressant.)
   Este año iremos de vacaciones a España.
   (Cette année, nous irons en vacances en Espagne.)
   Llegaron Juan y Tomás ; este con un brazo escayolado.
   (Juan et Tomás sont arrivés ; celui-ci avec un bras plâtré.)

— *ese, esa...* désignent une personne, objet ou événement plus éloigné :
   ¿Cómo se titula ese libro que estás leyendo?
   (Quel est le titre de ce livre que tu es en train de lire ?)
   Tráeme esos papeles. (Apporte-moi ces papiers.)

— *aquel, aquella...* désignent une personne, objet ou événement très éloigné :
   Su casa es aquélla que se ve a lo lejos.
   (Sa maison est celle que l'on voit au loin.)

2. Les éléments de la phrase

En aquella época, el viaje duraba meses.
(À cette époque, le voyage durait des mois.)

☞ Les pronoms neutres sont invariables :
Esto es mío. (Ceci est à moi.)
¿Por qué dices eso? (Pourquoi dis-tu cela ?)

Expressions :
por eso (c'est pourquoi)
eso es (c'est cela)
en esto (sur ce)

☞ Dans le discours, *este* rappelle le dernier élément nommé et *aquel* le premier :
Cervantes y Shakespeare murieron ambos en 1616, pero este era más joven que aquel. (Cervantes et Shakespeare sont morts en 1616, mais ce dernier était plus jeune que le premier.)

☞ *Ese, esa...* est souvent employé pour désigner un élément supposé connu de l'interlocuteur ou déjà cité :
En ese caso, te llamaría. (Dans ce cas, je t'appellerais.)
Ils peuvent aussi avoir une valeur péjorative, notamment quand ils sont placés après le nom :
La niña esa no deja de llorar. (Cette petite fille n'arrête pas de pleurer.)

VII. LES INDÉFINIS

Les indéfinis indiquent une nuance de quantité ou de qualité. Quelques indéfinis sont invariables, mais la plupart s'accordent en nombre et en genre avec le nom qu'ils qualifient (adjectifs) ou qu'ils remplacent (pronoms).

1. Adjectifs indéfinis

cada (chaque, tou[te]s + nombre), invariable :
Cada día, cada tres días. (Chaque jour, tous les trois jours.)

cierto/a/os/as (certain[e][s])
Ciertos problemas persisten. (Certains problèmes persistent.)

propio/a/os/as (propre[s])
> *Sus propias ideas.* (Ses propres idées.)

cualquier + nom ou nom + *cualquiera* (un/une quelconque, n'importe quel[les], n'importe lequel...)
> *En cualquier momento/ocasión.* (À n'importe quel moment.)
> *Un momento/una ocasión cualquiera.* (À n'importe quel moment.)

2. Pronoms indéfinis

alguien (quelqu'un)
> *¿Hay alguien?* (Il y a quelqu'un ?)

algo (quelque chose)
> *¿Sabes algo?* (Tu sais quelque chose ?)

nadie (personne). Double construction de la phrase négative :
> *Nadie te llamó. / No te llamó nadie.* (Personne ne t'a appelé.)

nada (rien). Double construction de la phrase négative :
> *Nada le interesa./ No le interesa nada.* (Rien ne l'intéresse.)

cada uno/una, cada cual (chacun/chacune, tout un chacun)
> *Cada uno a lo suyo.* (Chacun à ses affaires.)

cualquiera (n'importe qui)
> *Cualquiera puede hacerlo.* (N'importe qui peut le faire.)

3. Adjectifs et pronoms indéfinis

* *uno/a/os/as, alguno/a/os/as* [1], *unos cuantos, unas cuantas, unos pocos, unas pocas* (un, une, quelque[s], quelques-uns/unes)
  ☞ Devant un nom masculin singulier *uno* et *alguno* deviennent *un* et *algún* :
  > *Tengo algún dinero y unas cuantas ideas.* (J'ai un peu d'argent et quelques idées.)

* *ninguno/a/os/as* (aucun[e], aucun[e]s)
  ☞ Devant un nom masculin singulier *ninguno* devient *ningún* :
  > *No hay ningún problema.* (Il n'y a aucun problème.)

---

1. Dans une phrase négative ou avec *sin*, et placés après le nom, *alguno/a/os/as* signifient aucun(e) :
> *No tiene importancia alguna = No tiene ninguna importancia.*

2. Les éléments de la phrase

☞ Triple construction de la phrase négative :
Ninguna solución fue presentada.
No fue presentada ninguna solución. Aucune solution n'a été présentée.
No fue presentada solucion algura.

- *poco/a/os/as* [peu [de])   *mucho/a/os/as* (beaucoup [de])
bastante/es (assez [de])   *demasiado/a/os/as* (trop [de])
¿Hay muchos voluntarios? (Y a-t-il beaucoup de volontaires ?)
Ayer había pocos, pero hoy hay bastantes, incluso demasiados.
(Hier il y en avait peu, mais aujourd'hui il y en a assez, même trop.)

- *todo/a/os/as* (tout[e], tou[tes]s)
☞ *Lo(s)* + verbe + *todo(s)* (C.O.D.)
Lo sé todo. (Je sais tout.)
Los conozco a todos. (Je les connais tous.)

- *varios/as* (plusieurs)
Hay varias posibilidades. (Il y a plusieurs possibilités.)

- *otro/a/os/as* (un/une autre, d'autres)
☞ Pas d'article indéfini devant *otro* :
Mañana será otro día. (Demain sera un autre jour.)
☞ *Otro* est placé devant les numéraux, et devant *mucho, poco, cuanto, tanto* et *varios* :
Otras tres personas. (Trois autres personnes.)

- *los/las demás* (tous/toutes les autres)
Los demás saldrán mañana. (Les autres partiront demain.)

- *tanto/a/os/as* (autant [de])
¿Tres camisas? No quiero tantas. (Trois chemises ? Je n'en veux pas autant.)

- *cuanto/a/os/as* (tout le... que/qui, toute la... que/qui ; tout ce... que/qui, tous ceux... que/qui...)
Cuantos esfuerzos hacía resultaban inútiles. (Tous les efforts qu'il faisait étaient inutiles.)

- *el/la/los/las mismo/a/os/as* (le/la/les même[s] [1], lui-même, etc.)
¿Sigues teniendo el mismo número? Sí, el mismo.
(Tu as toujours le même numéro ? Oui, c'est le même.)

---

1. Ne pas confondre avec l'adverbe « même » qui se traduit par *incluso / hasta / aun* : *Incluso tú llevas la misma camisa.* (Même toi tu portes la même chemise.)

- *ambos/as* (tou[te]s les deux)
  A ambos les gusta nadar. (Tous les deux aiment nager.)

- *tal, tales* (tel[le], tel[le]s)
  ☞ Pas d'article indéfini devant *tal* :
  Tal situación era insoportable. (Une telle situation était insupportable.)

VIII. LES NUMÉRAUX

1. Les numéraux cardinaux

1 uno* (a)	11 once	21 veintiuno *
2 dos	12 doce	22 veintidós
3 tres	13 trece	23 veintitrés
4 cuatro	14 catorce	24 veinticuatro
5 cinco	15 quince	25 veinticinco
6 seis	16 dieciséis	26 veintiséis
7 siete	17 diecisiete	27 veintisiete
8 ocho	18 dieciocho	28 veintiocho
9 nueve	19 diecinueve	29 veintinueve
10 diez	20 veinte	30 treinta

- À partir de 30, on sépare les dizaines et les unités [dizaine + y + unité(s)] :

30 treinta	31 treinta y uno*	32 treinta y dos...
40 cuarenta	41 cuarenta y uno*	42 cuarenta y dos...
50 cincuenta	51 cincuenta y uno*	52 cincuenta y dos...
60 sesenta	61 sesenta y uno*	62 sesenta y dos...
70 setenta	71 setenta y uno*	72 setenta y dos...
80 ochenta	81 ochenta y uno*	82 ochenta y dos...
90 noventa	91 noventa y uno *	92 noventa y dos...

- Et de 100 à 1 000 000 :

100 *cien*   seul : *Son cien.*
           devant un nom : *Cien kilómetros.*
           devant *mil* : *Cien mil personas.*

    ciento dans les autres cas (101 à 199) : *Ciento treinta y dos* (132).

2. Les éléments de la phrase

200 doscientos/as**	600 seiscientos/as**
300 trescientos/as**	700 setecientos/as**
400 cuatrocientos/as**	800 ochocientos/as**
500 quinientos/as**	900 novecientos/as**
1 000 mil (invariable)	2 000 dos mil
1 000 000 un millón	2 000 000 dos millones

Remarques :

* *Uno* devient *un* devant un nom masculin singulier et *una* au féminin :
Tengo **una** *tía que tiene ochenta y* **un** *años.* (J'ai une tante qui a 81 ans.)

De même, **veintiuno** : *Tengo veintiún libros.* (J'ai vingt et un livres.)

** Les centaines (à partir de 200) s'accordent avec le nom :
Quinientas diez personas : doscientos diez hombres y trescientas mujeres. (Cinq cent dix personnes : deux cent dix hommes et trois cents femmes.)

Les collectifs :

una decena (une dizaine)	*una docena* (une douzaine)
una veintena (une vingtaine)	*una treintena* (une trentaine)
una cuarentena (une quarantaine)	*un centenar* (une centaine)
un millar (un millier)	*mil millones* (un milliard)

2. Les numéraux ordinaux

Ils s'accordent avec le nom :

1 primero/a	et au-delà :	
2 segundo/a	13 décimo tercero/a	14 décimo cuarto/a...
3 tercero/a	20 vigésimo/a	21 vigésimo primero/a...
4 cuarto/a	30 trigésimo/a	31 trigésimo primero/a...
5 quinto/a	40 cuadragésimo/a	41 cuadragésimo primero/a
6 sexto/a	50 quincuagésimo/a	51 quincuagésimo primero/a...
7 séptimo/a	60 sexagésimo/a	61 sexagésimo primero/a...
8 octavo/a	70 septuagésimo/a	71 septuagésimo primero/a...
9 noveno/a	80 octagésimo/a	81 octagésimo primero/a...
10 décimo/a	90 nonagésimo/a	91 nonagésimo primero/a...
11 undécimo/a	100 centésimo/a	101 centésimo primero/a...
12 duodécimo/a	1 000 milésimo/a	

☞ *Primer* et *tercer* devant un nom masculin singulier :
   El primer y el tercer capítulos. (Le premier et le troisième chapitres.)

☞ Quand il est placé après le nom, on préfère le cardinal à partir de 11ᵉ :
   Hemos leído el capítulo quince. Nous avons lu le chapitre quinze.
   Luis XIV [catorce]   Louis XIV (quatorze)
Mais :
   Hemos leído el capítulo tercero. Nous avons lu le troisième chapitre.
   Juan Carlos Iᵉʳ [primero]   Juan Carlos I (premier)
   Carlos V [quinto]   Charles V (cinq)

IX. LES INTERROGATIFS

Les interrogatifs peuvent être employés :
— dans une question (discours direct) :
   ¿Cómo te llamas? (Comment tu t'appelles ?)
— dans une interrogation indirecte :
   No sé cómo se llama. (Je ne sais pas comment il s'appelle.)

Ils portent toujours un accent écrit, ce qui les différencie des relatifs, qui ont les mêmes formes mais ne portent pas d'accent écrit.

Si le sens de la question le réclame, ils peuvent être précédés d'une préposition.

quién/quiénes qui	*¿Quién es?* (Qui est-il ?), *¿Quiénes son?* (Qui sont-ils ?) *Dime a quiénes has llamado.* (Dis-moi qui tu as appelé.)
qué que, quoi	*¿Qué propones?* (Que proposes-tu ?) *No sé de qué hablas.* (Je ne sais pas de quoi tu parles.)
cuál/cuáles quel(le)s/lesquel(le)s	*¿Cuál es tu decisión?* (Quelle est ta décision ?) *Dime cuáles son los tuyos.* (Dis-moi lesquels sont les tiens.)
dónde où	*¿Dónde vives?* (Où habites-tu ?), *¿De dónde eres?* (D'où es-tu ?) *Dime a dónde vas.* (Dis-moi où tu vas.)

2. Les éléments de la phrase

cuándo quand	*¿Cuándo vuelves?* (Quand reviens-tu ?) *No sé cuándo llegará.* (Je ne sais pas quand il arrivera.)
por qué pourquoi	*¿Por qué lo dices?* (Pourquoi tu le dis ?) *Dime por qué lo hiciste.* (Dis-moi pourquoi tu l'as fait.)
cómo comment	*¿Cómo lo sabes?* (Comment le sais-tu ?) *Quiere saber cómo te llamas.* (Il veut savoir comment tu t'appelles.)
cuánto combien	*¿Cuánto cuesta?* (Combien ça coûte ?) *Dile cuánto cuesta.* (Dis-lui combien ça coûte.)
cuánto/a/os/as combien de	*¿Cuánto azúcar?* (Combien de sucre ?) *¿Cuánta harina?* (Combien de farine ?) *No sé cuántos huevos ni cuántas manzanas necesito.* (Je ne sais pas de combien d'œufs ni de combien de pommes j'ai besoin.)

X. LES RELATIFS

Les pronoms relatifs introduisent une proposition subordonnée relative ; ils remplacent un nom ou un pronom précédemment cité dans la phrase (appelé « antécédent »).

que, dont l'antécédent est une personne ou une chose, est le relatif le plus employé :
= qui, sujet de la relative :
Una persona que sabe. (Une personne qui sait.)
Una idea que parece interesante. (Une idée qui semble intéressante.)

= que, C.O.D. de la relative :
Una idea que todos comparten. (Une idée que tous partagent.)
Una persona que conozco. (Une personne que je connais.)

quien, quienes, dont l'antécédent est toujours une personne :
= que (C.O.D. de la relative), précédé de *a* :
Una persona a quien conozco. (Une personne que je connais.)

= qui, lequel/laquelle, etc. (sujet de la relative explicative, séparée de son antécédent par une virgule) :

Nombraron al nuevo director, quien presentó a continuación su programa. (Ils ont nommé le nouveau directeur, lequel a ensuite présenté son programme.)

= à qui, avec qui, dont, pour qui, par qui, etc. :
El hombre con quien hablé ayer. (L'homme avec qui j'ai parlé hier.)
¿La mujer de la que habla? (La femme dont il parle ?)

= (celui/celle/ceux/celles) qui, employé sans antécédent, équivaut à *el que, la que, los que, las que* :
Quien llegue antes, llamará al otro. (Celui qui arrivera avant appellera l'autre.)

el/la/los/las que, employés après une préposition et dont l'antécédent est une personne ou une chose :
= lequel, laquelle, lesquel(le)s
La pelota con la que juega. (La balle avec laquelle il joue.)
La mujer con la que hablaste. (La femme avec qui tu as parlé.)

— dont (complément de verbe) :
La mujer de quien hablas. (La femme dont tu parles.)

cuyo/a/os/as, accordé avec le nom qui le suit immédiatement :
= dont le/la/les (complément de nom) :
Granada, cuyo monumento más conocido es la Alhambra...
(Grenade, dont le monument le plus connu est l'Alhambra...)
Il peut être précédé d'une préposition (complément de nom qui dépend d'un verbe qui exige une préposition) :
Es la chica en cuya casa viví durante años. (C'est la fille chez qui j'ai habité pendant des années.)
(la casa de la chica = la chica cuya casa ;
viví en la casa de la chica — la chica en cuya casa viví)

el/la cual, los/las cuales, dont l'antécédent est une personne ou une chose :
— employés après préposition, ils sont synonymes de *el/la/los/las que*.
— employés sans préposition = qui, lequel/laquelle, etc. (sujet de la relative explicative, séparée de son antécédent par une virgule) :
Nombraron al nuevo director, el cual presentó a continuación su programa.
(Ils ont nommé le nouveau directeur, lequel a ensuite présenté son programme.)

lo cual, relatif neutre, employé après virgule = ce qui, ce que
No dijo nada, lo cual me extrañó. (Il n'a rien dit, ce qui m'a étonné.)

donde = où (lieu), qui peut être remplacé par *el/la/los/las que* :
 La ciudad donde vives... La ville où tu habites...
 La ciudad en la que vives...
 donde peut être précédé des prépositions *a, de, en, por* :
 – *en donde* = *donde* (pas de mouvement)
 La ciudad en donde vives... (La ville où tu habites...)
 – *adonde* (vers)
 La ciudad adonde vamos... (La ville où nous allons...)
 – *de donde* (depuis, point de départ)
 La ciudad de donde sales... (La ville d'où tu sors...)
 – *por donde* (à travers, mouvement à l'intérieur d'un lieu)
 La ciudad por donde pasamos... (La ville par où nous passons...)
 La ciudad por donde paseamos... (La ville où nous nous promenons...)

en que = où (temps)
 El día en que te conocí... (Le jour où je t'ai rencontré...)

XI. Les adverbes

L'adverbe, toujours invariable, peut modifier le sens :
– d'un verbe :   *Se ríe **mucho**.* (Il rit beaucoup.)
– d'un adjectif :   *Es **muy** simpática.* (Elle est très sympathique.)
– d'un autre adverbe : *Corre **bastante** rápido.* (Il court assez vite.)
– d'une phrase :   ***Afortunadamente**, no está.* (Heureusement il n'est pas là.)

La place de l'adverbe dépend de l'élément qu'il modifie :
– après le verbe,
– devant un adjectif ou un adverbe,
– devant ou après une phrase.

Selon leur forme, on peut distinguer :
– les adverbes simples : *ayer* (hier), *lejos* (loin), *mucho* (beaucoup)...
– les adverbes composés (terminés en *-mente*) : *últimamente* (dernièrement), *rápidamente* (rapidement), *fácilmente* (facilement)...
Il existe aussi des locutions adverbiales : *a menudo* (fréquemment), *en un abrir y cerrar de ojos* (en un clin d'œil), *en absoluto* (pas du tout)...

Selon leur sens, on parle de :

a) **Adverbes d'affirmation et de négation** :

sí (oui)	*no* (non), *ni* (ni)
también (aussi)	*tampoco* [1] (non plus)
además (en plus)	*seguro* (sûrement)

[1] Double construction de la phrase négative avec *tampoco* :
A mí *tampoco* me gusta. / A mí *no* me gusta *tampoco*.
(Je ne l'aime pas non plus.)

b) **Adverbes de doute ou probabilité** :
quizá(s) (peut-être)   *acaso* (peut-être)
incluso/aun/hasta (même)

c) **Adverbes de quantité** :

nada [1] (rien)	*bastante* (assez)
casi (presque)	*mucho* (beaucoup)
apenas (à peine)	*muy* (très)
algo (un peu)	*demasiado* (trop)
poco (peu)	

[1] Double construction de la phrase négative avec *nada* :
Nada podía hacer. / *No* podía hacer *nada*. (Il ne pouvait rien faire.)

d) **Adverbes et locutions de lieu** :

*cerca** (près)	*debajo** (dessous)
*lejos** (loin)	*delante** (devant)
aquí / acá (ici)	*detrás** (derrière)
ahí (là)	*dentro** (dedans)
allí / allá (là-bas)	fuera* (dehors)
arriba (en haut)	*enfrente** (en face)
abajo (en bas)	*alrededor** (autour)
*encima** (dessus)	

☞ Notez l'ajout de la préposition *de* pour « transformer » un adverbe de lieu en préposition de lieu (adverbes ou locutions marqués *) :
Estaba detrás. (adverbe)
Estaba detrás de la mesa. (préposition)

2. Les éléments de la phrase

☞ Comme pour les démonstratifs, les adverbes *aquí (acá)*, *ahí* et *allí* *(allá)* sont employés en rapport avec les trois personnes grammaticales :
> *Este libro de aquí es mío ; ese de ahí es tuyo y aquel de allí es de María.*
> (Ce livre-ci est à moi ; celui-là est à toi et celui là-bas est à María.)

e) Adverbes de temps :

ayer (hier)	*todavía, aún* (encore)
anteayer (avant-hier)	*mañana* (demain)
anoche (hier soir)	*pronto* (bientôt)
antes (avant)	*enseguida* (aussitôt)
antaño (jadis)	*luego, después* (après)
entonces (alors)	*siempre* (toujours)
hoy (aujourd'hui)	*nunca, jamás* [1] (jamais)
ahora (maintenant)	*temprano* (tôt)
hogaño (de nos jours)	*tarde* (tard)
ya [2] (déjà = à présent)	

Remarques :

[1] Double construction de la phrase négative avec *nunca* et *jamás* :
> *Nunca me llama. / No me llama nunca.* (Il ne m'appelle jamais.)
> Notez : *nunca jamás* : jamais de la vie

[2] *ya* peut avoir plusieurs traductions, généralement suivant le temps du verbe :
– verbe au présent : *ya* = voici, voilà, maintenant, bien
> *Ya lo sé.* (Je le sais bien.)
> *¡Ya voy!* (J'arrive ! = Me voilà !)
> *¡Ya están aquí!* (Les voici !)
> *Ya se marchan.* (Ils partent maintenant.)
– verbe au passé : *ya* = déjà
> *Ya se fueron.* (Ils sont déjà partis.)
– verbe au futur : *ya* = bientôt, plus tard
> *¡Ya te lo dirá!* (Il te le dira plus tard !)
Quelques expressions :
> *¡Ya veremos!* (Attendons ! On verra !)
> *¡Ya era hora!* (Il était temps !)
> *Preparados, listos, ¡ya!* (À vos marques, prêts, partez !)

f) Adverbes de manière :

bien (bien)	*barato* (bon marché)
mal (mal)	*despacio* (lentement)
mejor (mieux)	*rápido* (rapidement)
peor (pis)	*así* (ainsi)
alto (haut)	*aprisa, deprisa* (vite)
bajo (bas)	*adrede* (à dessein)
caro (cher)	

Les adverbes de manière en *-mente* sont formés en ajoutant la terminaison *-mente* à l'adjectif au féminin (ou à la forme invariable de l'adjectif) :

> *lento /a* → *lentamente* (lentement)
> *claro/a* → *claramente* (clairement)
> *breve* → *brevemente* (brièvement)
> *fácil* → *fácilmente* (facilement)

☞ L'adjectif conserve son accent écrit.

☞ Quand plusieurs adverbes en *-mente* se suivent, le suffixe est uniquement attaché au dernier :

> *Lenta pero eficazmente.* (Lentement mais efficacement.)

XII. LES PRÉPOSITIONS

Les prépositions sont des mots invariables qui relient les éléments de la phrase entre eux.

Les prépositions simples		Principales prépositions composées	
a	à	*a causa de*	à cause de
ante	devant	*a fin de*	afin de
bajo	sous	*a pesar de/pese a*	malgré
cabe	(littéraire) à côté de	*a propósito de*	à propos de
con	avec	*a través de*	à travers
contra	contre	*además de*	en plus de
de	de	*al cabo de*	au bout de
desde	dès, depuis	*al lado de/junto a*	à côté de
durante	pendant	*alrededor de*	autour de
en	en	*antes de*	avant
entre	entre	*cerca de*	près de
excepto	sauf	*(con) respecto a*	par rapport à
hacia	vers	*debajo de*	en dessous de, sous
hasta	jusqu'à	*delante de*	devant

2. Les éléments de la phrase

mediante	moyennant	dentro de	dans, à l'intérieur de
para	pour, par	después de	après
por	par	en medio de	au milieu de
salvo	sauf	en torno a	autour de
según	selon	encima de	au-dessus de, sur
sin	sans	enfrente de	en face de
sobre	sur	frente a	face à
tras	derrière, après	lejos de	loin de

1. *La préposition* a

Sens premier : mouvement vers (temps, espace, personne)

a) devant un complément d'objet direct désignant une personne déterminée [1] **:**

Vimos a Ana en el cine. (Nous avons vu Ana au cinéma.)
No vimos a nadie. (Nous n'avons vu personne.)
¿A quién llamas? (Qui appelles-tu ?)

b) pour indiquer le mouvement « vers » un lieu, quelle que soit sa nature :

Este verano iremos a España / a Madrid. (Cet été, nous irons en Espagne / à Madrid.)
Llegué a su casa y bajamos a la bodega. (Je suis arrivé[e] chez lui et nous sommes descendus à la cave.)

c) estar a **pour indiquer la date :**

Estamos a tres de mayo. (Nous sommes le trois mai.)

d) verbe de mouvement + a + infinitif :

Vengo a ver a tu madre. (Je viens voir ta mère.)
Iré a ver a tu madre. (J'irai voir ta mère.)

e) ir a + infinitif = aller + infinitif (futur proche) **:**

Voy a llamarla. (Je vais l'appeler.)

f) pour indiquer la fréquence :

Tres veces al año. (Trois fois par an.)

---

1. Mais a n'est pas utilisé si le verbe est accompagné d'un C.O.D. et d'un C.O.I. et s'il y a risque de confusion ni après le verbe *tener*, quand le C.O.D. est précédé d'un article indéfini ou d'un numéral :
Presentó su marido a sus compañeros de trabajo. (Elle présenta son mari à ses collègues.)
Presentó sus compañeros de trabajo a su marido. (Elle présenta ses collègues à son mari.)
Tengo un hermano que vive en Namibia. (J'ai un frère qui habite en Namibie.)
Tengo tres hermanos. (J'ai trois frères.)

☞ A principios / mediados / finales de enero
(début / à la mi- / fin janvier)
    tener miedo a (que) (avoir peur de)
    ser aficionado/a a (être amateur/amatrice de)
    saber a (avoir le goût de)
    oler a (sentir — odorat)

2. La préposition en

Sens premier : localisation (espace, temps, réelle ou figurée) sans mouvement.

a) le lieu où l'on est (quelle que soit sa nature) ; le verbe n'indique pas de mouvement :
    Ana trabaja en París / en Francia. (Ana travaille à Paris / en France.)

☞ Exceptions :
– en + moyen de transport :
    ir en coche / tren / avión / bicicleta (aller en voiture, en train, en avion, à vélo)
– entrar, penetrar, introducirse (verbes qui expriment l'idée d'entrer) :
    Entraron en el museo. (Ils sont entrés dans le musée.)

b) en pour indiquer un moment, période ou époque :
    Estamos en invierno/ primavera. (Nous sommes en hiver / au printemps.)
    En aquella época... (À cette époque-là...)
    en ese / aquel momento (à ce moment, à ce moment-là)
    en el momento en que (au moment où)
    en el último momento (au dernier moment)

a ou en ?		
a	❑	Acercarse a París. (S'approcher de Paris.)
en	☒	Entrar en París. (Entrer dans París.)
		Estar en París. (Être à Paris.)

3. La préposition de [1]

Sens premier : origine (lieu, matière), appartenance.

a) pour indiquer l'origine (provenance ou matière) :
    Es de Colombia. (Il est de Colombie.)
    una mesa de madera (une table en bois)

---

1. Devant un infinitif sujet, attribut ou complément, pas de préposition :
    Es interesante Ø viajar. (Il est intéressant de voyager.)
    Decidió Ø buscarla. (Il a décidé de la chercher.)

2. Les éléments de la phrase

b) pour indiquer la possession :
   ¿De quién es este bolígrafo? Es de Ana. (À qui est ce stylo ? Il est à Ana.)

c) pour indiquer une caractéristique essentielle :
   un molino de viento (un moulin à vent)
   una mujer de pelo largo (une femme aux cheveux longs)

d) pour indiquer le poste ou la fonction occupés :
   Trabaja de vendedor. (Il travaille comme vendeur.)

e) de + infinitif = condition :
   De saberlo, te lo hubiera dicho. (Si je l'avais su, je te l'aurais dit.)

f) la date (jour du mois + de + mois + de + année) :
   10 de mayo de 1994 (le 10 mai 1994)

☞ *De momento* (pour l'instant)   *de repente* (soudain)
   de día ([pendant] le jour)   *de noche* ([pendant] la nuit)
   estar de visita (être en visite)   *estar de vacaciones* (être en vacances)
   de pequeño/a (quand j'étais / tu étais... petit/petite)

4. La préposition con

Sens premier : accompagnement, moyen ou manière de réaliser une action.

a) pour indiquer l'accompagnement [1] **:**
   Viaja con su madre. (Il voyage avec sa mère.)

b) pour indiquer le moyen, l'attitude ou la manière d'être :
   Lo hizo con cuidado. (Il l'a fait avec soin.)
   Se lo dijo con mucho respeto. (Il lui a dit avec beaucoup de respect.)

☞ *con sólo* (il suffit de)   *soñar con* (rêver de)
   para con (envers)   *tener cuidado con* (faire attention à)
   salirse con la suya (avoir gain de cause)

gastronomie : a, en, de ou con ?		
« manière » :	*pulpo a la gallega*	(poulpe à la galicienne)
« dans » :	*sardinas en aceite*	(sardines à l'huile)
ingrédient principal :	*tarta de manzana*	(tarte à la pomme)
accompagnement :	*café con leche*	(café au lait)

---

1. Rappel : *conmigo* (avec moi), *contigo* (avec toi), *consigo* (avec soi-même).

5. La préposition *por*

Sens premier : la cause (origine, motif, agent de l'action) et le passage.
☺ *Por* traduit le français « par » dans tous les cas.

a) la cause ou le motif :
Cerrado por obras. (Fermé pour travaux.)
Lo ha hecho por amistad. (Il l'a fait par amitié.)

b) por + personne : pour, en faveur de :
Lo hago por ti. (Je le fais pour toi.)
Vote por nosotros. (Votez pour nous.)
Suspira por él. (Elle soupire d'amour pour lui.)

c) le complément agent (passif) :
Fue anunciado por las autoridades. (Ceci a été annoncé par les autorités.)

d) le lieu :
— l'endroit par où l'on passe (idée de traverser) :
Paso por el parque. (Je passe par le parc.)
— le mouvement à l'intérieur d'un endroit :
Pasean por París. (Ils se promènent dans Paris.)

e) le temps :
— localisation approximative dans le temps :
Iremos a visitaros por mayo. (Nous irons vous rendre visite vers mai.)
— la durée :
De vacaciones por unos días. (En vacances pour quelques jours.)
— le moment de la journée :
Siempre llama por la tarde. (Il appelle toujours l'après-midi.)

f) le prix, l'échange, l'équivalence :
Lo compró por diez euros. (Il l'a acheté 10 euros.)
¿Quiere cambiarlo por otro? (Voulez-vous le changer pour un autre ?)

g) le moyen ou la manière :
por correo (par la poste)
por escrito (par écrit)
por tren / por avión
(par train / par avion)
por televisíon (à la télévision)
por la radio (à la radio)

h) après un verbe de mouvement ou d'ordre (a) por = « chercher » :
Fue (a) por pan. (Il est allé chercher du pain.)
Me mandó al pueblo (a) por vino. (Il m'envoya au village chercher du vin.)

i) estar / quedar por + infinitif (action pas encore accomplie)= être / rester à + infinitif.
Está por ver. (C'est à voir.)
Queda por hacer. (Cela reste à faire.)

j) avec un verbe exprimant un choix, un engagement :
hacer algo por alguien (faire quelque chose pour quelqu'un)
votar por (voter pour)
intervenir por (intervenir en faveur de)

k) avec certains verbes (et noms et adjectifs correspondants) indiquant l'effort, la volonté, l'intérêt :
afanarse por (s'évertuer à)
inquietarse por (s'inquiéter de)
interesarse por (s'intéresser à)

☞ *A cien kilómetros por hora* (à 100 km à l'heure)
tres por tres son nueve (trois fois trois font neuf)
gracias por... (merci pour...)
por cierto (au fait...)
por eso (c'est pourquoi)
por fin / por último (enfin, finalement)
por lo menos (au moins)
por lo tanto (par conséquent)
por lo visto (apparemment)
por primera / última vez (pour la première / dernière fois)
por suerte / por desgracia (heureusement / malheureusement)
por supuesto (bien sûr, évidemment)

6. *La préposition* para

Sens premier : le but, la finalité, la destination.

a) le but, la finalité :
para conocerte. (pour te rencontrer)
para que le conozcas. (pour que tu le rencontres)

b) para + **personne** :
   destinataire de l'action (C.O.I.) : *Es para ti.* (C'est pour toi.)
   point de vue : *Para mí, está claro.* (Pour moi, c'est clair.)

c) **la destination** :
   El tren para Madrid (Le train pour Madrid)

d) **le temps** :
   échéance : *listo para el lunes* (prêt pour lundi)
   durée : *para siempre* (pour toujours)

e) **pour introduire un complément indiquant l'utilité, l'aptitude** :
   peligroso para el hombre (dangereux pour l'homme)
   servir para algo (servir à quelque chose)
   preparado para todo (prêt à tout)

f) **estar para + infinitif : être sur le point de + infinitif** :
   Estaba para salir... (Il était sur le point de partir...)
   ¡Está para comérselo! (Il est beau/bon à croquer !)

☞ *echarse para atrás* (se rétracter) / *tirar para adelante* (avancer)
   no es para tanto (ce n'est pas si grave)
   no estar para bromas (ne pas être d'humeur à plaisanter)
   para nada (pas du tout)
   servir para (servir)

por ou para ?		
par = por		
pour = por	/	para
	– la cause	– le but
	Por decírtelo	*Para decírtelo*
	– temps (durée)	– temps (échéance)
	por un mes	*para el mes de mayo*
	– l'intérêt pour (en faveur de) :	– le point de vue :
	lo hizo por ti [1]	*para mí, es lo mejor*
	– l'échange :	– l'aptitude :
	lo cambió por otro	*apto para trabajar*

---

1. Comparez : *Lo hizo por ti* (Il l'a fait pour toi : cause et destination de son action).
   Lo compró para ti (Il l'a acheté pour toi : destinataire).

3

Le verbe

3. Le verbe

Élément essentiel de la phrase, le verbe est la catégorie grammaticale qui présente le plus grand nombre de modifications (selon le temps, le mode, l'aspect, la personne grammaticale, etc.).

I. GÉNÉRALITÉS [1]

1. Groupes

Trois groupes selon la terminaison de l'infinitif :
premier groupe :　　　　infinitif en -ar
deuxième groupe :　　　　infinitif en -er
troisième groupe :　　　　infinitif en -ir

2. Personnes

Six personnes grammaticales, dont la marque est la même à tous les temps sauf à l'impératif et au passé simple :

		Tous les temps	Impératif	Passé simple
Singulier :	1re pers.	-		-
	2e pers.	-s	-	-ste
	3e pers.	-	-	-
Pluriel :	1re pers.	-mos	-mos	-mos
	2e pers.	-is	-d	-steis
	3e pers.	-n	-n	-ron

3. Temps

Formes personnelles

MODE INDICATIF		MODE SUBJONCTIF	
Temps simples	Temps composés	Temps simples	Temps composés
présent	passé composé	présent	passé composé
imparfait	plus-que-parfait	imparfait	plus-que-parfait
passé simple	passé antérieur	futur	futur antérieur
futur	futur antérieur		
conditionnel simple	conditionnel passé	**MODE IMPÉRATIF**	
		impératif présent	

---

1. Voir *Conjugaison espagnole*, de Frédéric Eusèbe (Librio, « Mémo », 644).

Formes impersonnelles

infinitif présent	gérondif présent	participe
infinitif passé	gérondif passé	

Quant à leur forme, certains temps peuvent être groupés :

a) Les trois présents : indicatif, subjonctif et impératif :
– le subjonctif présent est formé à partir de la première personne de l'indicatif ;
– des cinq personnes de l'impératif, une est formée à partir de l'indicatif et trois à partir du subjonctif.

b) Le passé simple et le subjonctif imparfait (formé systématiquement à partir du passé simple).

c) Le futur et le conditionnel : différenciés uniquement par la terminaison, ces temps ont le même radical, aussi bien pour les verbes réguliers que pour les verbes irréguliers.

4. Verbes irréguliers « indépendants » (irrégularités spécifiques)

Voici les principaux :

andar	marcher	*hacer*	faire	*salir*	sortir
caber	tenir à l'intérieur de	*ir*	aller	*ser*	être
caer	tomber	*oír*	entendre	*tener*	avoir
dar	donner	*poder*	pouvoir	*traer*	apporter
decir	dire	*poner*	mettre	*valer*	valoir, coûter
estar	être (se trouver)	*querer*	vouloir	*venir*	venir
haber	avoir (auxiliaire)	*saber*	savoir	*ver*	voir

5. Principaux groupes de verbes irréguliers (partageant les mêmes irrégularités)

a) Verbes à diphtongue : e ⇨ ie, o ⇨ ue [1]
– Certains verbes en -*ar* ou -*er* dont la dernière voyelle du radical est e ou o.

---

1. Quand la diphtongue apparaît en début de mot : ie /ue s'écrit *ye/hue* :
   oler (sentir) : *huelo*
   errar (errer) : *yerro*

3. Le verbe

- Le verbe *jugar*.
- Quatre verbes en *-ir* : *concernir* (concerner), *discernir* (discerner), *adquirir* (acquérir), *inquirir* (s'enquérir de).
  Ces verbes sont irréguliers aux trois présents.

b) Verbes à affaiblissement : e ⇨ i
Verbes en *-ir*, dont la dernière voyelle du radical est e mais qui se terminent autrement qu'en *-erir* (sauf *herir*), *-entir*, *-ertir*.
Ces verbes sont irréguliers aux trois présents, au passé simple, à l'imparfait du subjonctif et au gérondif.

c) Verbes à alternance (diphtongue et/ou affaiblissement) : e ⇨ ie / i, o ⇨ ue / u
Verbes en *-erir*, *-entir*, *-ertir* (e ⇨ ie / i), le verbe *herir* (blesser) et aussi *dormir* et *morir* (o ⇨ ue / u).
Ces verbes sont irréguliers aux trois présents, au passé simple, à l'imparfait du subjonctif et au gérondif.

d) Verbes en -ducir

c ⇨ zc   à l'indicatif présent (1re pers.) et au subjonctif présent

c ⇨ j   au passé simple et au subjonctif imparfait.

e) Verbes en -acer (sauf hacer, faire), -ecer (sauf mecer, bercer), -ocer (sauf cocer, cuire) et -ucir (autres qu'en -ducir).

c ⇨zc   à l'indicatif présent (1re pers.) et au subjonctif présent.

f) Verbes en -uir
radical + y   quand la terminaison commence par o/e/a.

II. INDICATIF

1. *Le présent*

a) Formation : radical de l'infinitif + terminaisons :

cantar (chanter)	comer (manger)	vivir (vivre, habiter)
canto	como	vivo
cantas	comes	vives
canta	come	vive
cantamos	comemos	vivimos
cantáis	coméis	vivís
cantan	comen	viven

Pour les verbes irréguliers, voir tableaux, pages 118-122

b) Emploi :
Très similaire au présent de l'indicatif français.
- Action du présent, en cours d'accomplissement :
  Juan trabaja. (Juan travaille.)

- Présent à valeur universelle :
  El agua hierve a 100 °C. (L'eau bout à 100 °C.)

- Présent d'habitude :
  Este año trabajamos en París. (Cette année nous travaillons à Paris.)
  Cada año vamos a París. (Chaque année nous allons à Paris.)

- Présent historique :
  Colón llega a América en 1492. (Colomb arrive en Amérique en 1492.)

- Présent à valeur de futur :
  El próximo miércoles vamos a la piscina. (Mercredi prochain nous allons à la piscine.)

- Présent à valeur d'impératif :
  Cierras la puerta al salir. (Tu fermes la porte en sortant.)

2. L'imparfait

a) Formation : radical de l'infinitif + terminaisons :

cantar	comer	vivir
cantaba	comía	vivía
cantabas	comías	vivías
cantaba	comía	vivía
cantábamos	comíamos	vivíamos
cantabais	comíais	vivíais
cantaban	comían	vivían

☺ Mêmes terminaisons pour les verbes en *-er* et en *-ir*.
☞ Trois verbes irréguliers à l'imparfait : *ser, ir* et *ver* (voir tableaux pages 120, 121, 122)

b) Emploi :
- Très similaire au français : l'imparfait de l'indicatif indique une action passée en cours d'accomplissement. C'est le temps employé dans la description, la répétition et l'habitude au passé :

Era morena y llevaba un sombrero rojo. (Elle était brune et portait un chapeau rouge.)
Antes iba a la piscina tres veces al mes. (Avant, il allait à la piscine trois fois par mois.)

• Quand une action « coupe » une autre qui était en train de se dérouler, cette dernière est exprimée à l'imparfait :
Cuando llamó, estaba con él. (Quand il a appelé, j'étais avec lui.)

• Comme en français, il est parfois employé à la place du présent comme marque de politesse :
Quería pedirte algo. (Je voulais te demander quelque chose.)

☞ Contrairement au français, il n'est pas employé :
– dans la phrase conditionnelle (l'imparfait de l'indicatif français est rendu en espagnol par un imparfait du subjonctif) :
Si pudiera decírtelo, lo haría. (Si je pouvais te le dire, je le ferais.)
– après *como si* (l'imparfait de l'indicatif français est rendu en espagnol par un imparfait du subjonctif) :
Lo dijo como si te conociera. (Il l'a dit comme s'il te connaissait.)

3. Le passé simple

a) **Formation** : radical de l'infinitif + terminaisons :

cantar	comer	vivir
canté	comí	viví
cantaste	comiste	viviste
cantó	comió	vivió
cantamos	comimos	vivimos
cantasteis	comisteis	vivisteis
cantaron	comieron	vivieron

☺ Mêmes terminaisons pour les verbes en *-er* et en *-ir*.
☞ Verbes irréguliers au passé simple (voir tableaux pages 118-122.) :
– aux troisièmes personnes (sing. et pl.) : verbes à alternance et verbes à affaiblissement ;
– à toutes les personnes : « prétérits forts » (radical et terminaisons différents au passé simple).

b) **Emploi** :
Très employé en espagnol (à l'écrit comme à l'oral), le passé simple exprime une action passée accomplie, commencée et finie dans le

passé, dans un temps que le sujet qui parle considère fini. Il n'a pas la même valeur temporelle que le passé composé (voir plus bas) et n'indique pas un niveau de langue soutenu ou littéraire, comme en français. Il se traduit assez souvent par un passé composé français. C'est le temps du récit.

Se casaron el año pasado. (Ils se sont mariés l'année dernière.)

Ayer fuimos al cine. (Hier nous sommes allés au cinéma.)

El lobo se comió a la abuela de Caperucita. (Le loup mangea la grand-mère du Petit Chaperon rouge.)

4. Le passé composé

a) Formation : *haber* au présent + participe passé du verbe :

cantar	comer	vivir
he cantado	*he comido*	*he vivido*
has cantado	*has comido*	*has vivido*
ha cantado	*ha comido*	*ha vivido*
hemos cantado	*hemos comido*	*hemos vivido*
habéis cantado	*habéis comido*	*habéis vivido*
han cantado	*han comido*	*han vivido*

Remarques (valables pour tous les temps composés) :

☺ Un seul auxiliaire : *haber* :

Ha venido a verme y hemos comido juntas. (Elle est venue me voir et nous avons déjeuné ensemble.)

☺ Le participe passé ne s'accorde pas (il est invariable) :

Ana ha ido a buscarte. ¿No la has visto? (Ana est allée te chercher. Tu ne l'as pas vue ?)

☞ L'auxiliaire *haber* et le participe passé ne peuvent pas être séparés : l'adverbe doit être placé après le verbe :

Has trabajado bien. (Tu as bien travaillé.)

☞ Pour la formation du participe passé et les participes passés irréguliers, voir plus bas, page 79.

b) Emploi :

Le passé composé espagnol exprime une action passée accomplie, commencée et finie dans le passé, dans un temps que le sujet qui parle ne considère pas fini, mais en relation avec le présent (l'auxiliaire est au présent) :

3. Le verbe

Este año hemos trabajado mucho. (Cette année nous avons beaucoup travaillé.)

Ayer comí con mi madre ; hoy he comido con mi padre. (Hier, j'ai déjeuné avec ma mère ; aujourd'hui, j'ai déjeuné avec mon père.)

Quant à la concordance des temps, le passé composé est considéré comme un temps du présent. Comparez les subordonnées :

Me dice que me quiere. (Il me dit qu'il m'aime.)

Me ha dicho que me quiere. (Il m'a dit qu'il m'aime / qu'il m'aimait.)

Me dijo que me quería. (Il m'a dit qu'il m'aimait.)

Me pide que lo haga. (Il me demande de le faire.)

Me ha pedido que lo haga. (Il m'a demandé de le faire.)

Me pidió que lo hiciera. (Il m'a demandé de le faire.)

5. Le plus-que-parfait

a) Formation : *haber* à l'imparfait + participe passé du verbe :

cantar	comer	vivir
había cantado	*había* comido	*había* vivido
habías cantado	*habías* comido	*habías* vivido
había cantado	*había* comido	*había* vivido
habíamos cantado	*habíamos* comido	*habíamos* vivido
habíais cantado	*habíais* comido	*habíais* vivido
habían cantado	*habían* comido	*habían* vivido

b) Emploi :

Le plus-que-parfait indique une action passée en la présentant comme antérieure à une autre action passée :

Cuando llegamos, se habían ido.

(Quand nous sommes arrivés, ils étaient déjà partis.)

☞ Contrairement au français, il n'est pas employé :

— dans la phrase conditionnelle (le plus-que-parfait de l'indicatif français est rendu en espagnol par un plus-que-parfait du subjonctif) :

Si hubiera podido decírtelo, lo habría hecho. (Si j'avais pu te le dire, je l'aurais fait.)

— après *como si* (le plus-que-parfait de l'indicatif français est rendu en espagnol par un plus-que-parfait du subjonctif) :

Lo dijo como si te hubiera reconocido. (Il l'a dit comme s'il t'avait reconnu.)

6. Le passé antérieur

a) **Formation** : *haber* au passé simple + participe passé du verbe :

cantar	comer	vivir
hube cantado	hube comido	hube vivido
hubiste cantado	hubiste comido	hubiste vivido
hubo cantado	hubo comido	hubo vivido
hubimos cantado	hubimos comido	hubimos vivido
hubisteis cantado	hubisteis comido	hubisteis vivido
hubieron cantado	hubieron comido	hubieron vivido

b) **Emploi** :
Comme le plus-que-parfait, le passé antérieur indique une action passée en la présentant comme antérieure à une autre aussi passée. Mais le passé antérieur indique que l'action est immédiatement antérieure à l'autre, tandis que le plus-que-parfait ne donne pas cette information :
   En cuanto hube terminado, me fui. (Dès que j'eus terminé, je partis.)

7. Le futur

a) **Formation** : infinitif complet + terminaisons :

cantar	comer	vivir
cantaré	comeré	viviré
cantarás	comerás	vivirás
cantará	comerá	vivirá
cantaremos	comeremos	viviremos
cantaréis	comeréis	viviréis
cantarán	comerán	vivirán

☺ Mêmes terminaisons pour les trois groupes.
☞ Irréguliers : voir tableaux pages 118-122.

b) **Emploi** :
• Comme en français, le futur indique une action future, à venir, sens dans lequel il est souvent remplacé par la périphrase *ir a* + infinitif :
   Mañana visitaremos El Prado. (Demain, nous visiterons le Prado.)
   Mañana vamos a visitarlo. (Demain, nous allons le visiter.)

• Futur de probabilité :
   ¿Quién será? (Qui peut-il bien être ?)
   Tendrá unos quince años. (Il doit avoir près de quinze ans.)

3. Le verbe

• Futur d'obligation, employé à la place de l'impératif (ordre) :
  Harás lo que te mandan. (Tu feras ce qu'on te demande.)

8. Le futur antérieur

a) **Formation** : *haber* au futur + participe passé du verbe :

cantar	comer	vivir
habré cantado	habré comido	habré vivido
habrás cantado	habrás comido	habrás vivido
habrá cantado	habrá comido	habrá vivido
habremos cantado	habremos comido	habremos vivido
habréis cantado	habréis comido	habréis vivido
habrán cantado	habrán comido	habrán vivido

b) **Emploi** :

• Le futur antérieur exprime une action à venir qui est antérieure à une autre action future :
  Cuando llegues, nos habremos ido. (Quand tu arriveras, nous serons déjà partis.)

• Comme le futur simple, le futur antérieur peut exprimer la probabilité dans le passé :
  Se habrá ido. (Il a dû partir.)

9. Conditionnel présent

a) **Formation** : infinitif complet + terminaisons :

cantar	comer	vivir
cantaría	comería	viviría
cantarías	comerías	vivirías
cantaría	comería	viviría
cantaríamos	comeríamos	viviríamos
cantaríais	comeríais	viviríais
cantarían	comerían	vivirían

☺ Mêmes terminaisons pour les trois groupes.
☺ Mêmes irréguliers qu'au futur (voir tableaux pages 118-122)

b) **Emploi** :

• Comme en français, le conditionnel indique une action future en rapport avec le passé (futur dans le passé) :
   Dijo que llegaría tarde. (Il a dit qu'il arriverait tard.)

• Conditionnel de probabilité (fait passé) :
   ¿Quién sería? (Qui pouvait-il bien être ?)
   Tendría unos quince años. (Il devait avoir près de quinze ans.)

• Conditionnel de politesse :
   ¿Lo harías por mí? (Tu le ferais pour moi ?)

• Conditionnel de conseil :
   Deberías hacerlo. (Tu devrais le faire.)

10. *Conditionnel passé*

a) **Formation** : *haber* au conditionnel + participe passé du verbe :

cantar	comer	vivir
habría cantado	habría comido	habría vivido
habrías cantado	habrías comido	habrías vivido
habría cantado	habría comido	habría vivido
habríamos cantado	habríamos comido	habríamos vivido
habríais cantado	habríais comido	habríais vivido
habrían cantado	habrían comido	habrían vivido

b) **Emploi** :
• Le conditionnel passé exprime une action à venir, en rapport avec une autre action passée considérée comme point de départ :
   Dijo que lo habría terminado antes de las seis. (Il a dit qu'il l'aurait déjà fini avant 18 heures.)
• Conditionnel passé de probabilité (hypothèse passée, non réalisée) :
   En aquella época, habría costado más. (À cette époque-là, cela aurait coûté plus cher.)

III. SUBJONCTIF

Bien que le subjonctif compte six temps, dans la pratique seulement quatre sont employés : le présent, le passé composé, l'imparfait et le plus-que-parfait.

3. Le verbe

Les futurs (simple et antérieur) ne s'emploient que dans quelques proverbes et dans le discours juridique.

1. Le subjonctif présent

Il est formé à partir de la première personne du singulier de l'indicatif, à laquelle on enlève le -o final et on rajoute les terminaisons du subjonctif selon le groupe verbal :

cantar	comer	vivir
cante	coma	viva
cantes	comas	vivas
cante	coma	viva
cantemos	comamos	vivamos
cantéis	comáis	viváis
canten	coman	vivan

☞ Mêmes terminaisons pour les verbes en -er et en -ir.

☞ La « règle » énoncée pour la formation du subjonctif présent est valable pour la plupart des verbes irréguliers à l'indicatif :

verbe	1re pers. indic.	subjonctif présent
hacer	hago	haga, hagas, haga, hagamos, hagáis, hagan
venir	vengo	venga, vengas, venga, vengamos, vengáis, vengan
conocer	conozca	conozca, conozcas, conozca, conozcamos, conozcáis, conozcan
huir	huyo	huya, huyas, huya, huyamos, huyáis, huyan
vestir	visto	vista, vistas, vista, vistamos, vistáis, vistan

Ne suivent pas cette règle les verbes à diphtongue, les verbes à alternance[1] et les verbes *ir, haber, estar, ser, dar, saber, caber.*

2. Le subjonctif imparfait

Il est formé à partir de la dernière personne du passé simple (régulier ou irrégulier) du verbe. En espagnol, le subjonctif imparfait a deux formes :

---

1. Les verbes à diphtongue gardent la diphtongue aux mêmes personnes qu'à l'indicatif ; les verbes à alternance alternent (d'où leur nom) la diphtongue (aux trois personnes du singulier et à la troisième personne du pluriel) et l'affaiblissement (1re et 2e personnes du pluriel). Voir tableau page 62.

cantar		comer		vivir	
3ᵉ pers. pl. passé simple : cantaron		3ᵉ pers. pl. passé simple : comieron		3ᵉ pers. pl. passé simple : vivieron	
cantara	cantase	comiera	comiese	viviera	viviese
cantaras	cantases	comieras	comieses	vivieras	vivieses
cantara	cantase	comiera	comiese	viviera	viviese
cantáramos	cantásemos	comiéramos	comiésemos	viviéramos	viviésemos
cantarais	cantaseis	comierais	comieseis	vivierais	vivieseis
cantaran	cantasen	comieran	comiesen	vivieran	viviesen

Remarques :
☞ « La « règle » énoncée pour la formation du subjonctif imparfait est valable pour tous les verbes :

verbe	3ᵉ pers. pl. passé simple	subjonctif imparfait
hacer	hicieron	hiciera... ou hiciese...
pedir	pidieron	pidiera... ou pidiese...
ir	fueron	fuera... ou fuese...

3. Le passé composé du subjonctif

Il est formé avec le présent du subjonctif de l'auxiliaire *haber* suivi du participe passé du verbe :

haya cantado
hayas cantado
haya cantado
hayamos cantado
hayáis cantado
hayan cantado

4. Le plus-que-parfait du subjonctif

Il est formé avec l'imparfait de subjonctif de l'auxiliaire *haber* suivi du participe passé du verbe :

hubiera cantado	OU	*hubiese* cantado
hubieras cantado	OU	*hubieses* cantado
hubiera cantado	OU	*hubiese* cantado
hubiéramos cantado	OU	*hubiésemos* cantado
hubierais cantado	OU	*hubieseis* cantado
hubieran cantado	OU	*hubiesen* cantado

3. Le verbe

5. Emplois du subjonctif

En espagnol, le subjonctif est le mode de l'hypothèse, de la probabilité, de l'éventualité. Comparez :

> *Aunque hace frío, saldremos.* (Bien qu'il fasse froid, nous sortirons.) (Il fait froid, donc indicatif en espagnol.)
> *Aunque haga frío, saldremos.* (Même s'il fait froid, nous sortirons.) (Je ne sais pas s'il fera froid, donc subjonctif en espagnol.)
> *Le daré el que tengo repetido.* (Je lui donnerai celui que j'ai en double.) (Je l'ai en double, donc indicatif en espagnol.)
> *Le daré el que tenga repetido.* (Je lui donnerai celui que j'aurai en double.) (Pour l'instant je n'en ai pas en double, mais je peux en avoir, donc subjonctif en espagnol.)

a) Subjonctif employé seul

• L'interdiction (« impératif négatif ») s'exprime en espagnol au subjonctif présent :

> *¡No lo hagas!* (Ne le fais pas !)
> *¡No entréis!* (N'entrez pas !)

• Introduit par *que*, le subjonctif présent indique un ordre (comme en français) :

> *¡Que pasen!* (Qu'ils entrent !)

• Introduit par *ojalá*, le subjonctif exprime :
> – le souhait (*ojalá* + subjonctif présent) :
> > *¡Ojalá esté en casa!* (Pourvu qu'il soit chez lui !)
> – le regret (*ojalá* + subjonctif imparfait) :
> > *¡Ojalá estuviera en casa!* (Ah, s'il était chez lui ! / Si seulement il était chez lui !)

• Après *qué lástima que*, le subjonctif exprime le regret :

> *¡Qué lástima que te vayas tan pronto!* (Quel dommage que tu partes aussi tôt !)
> *¡Qué lástima que no lo vieras!* (Quel dommage que tu ne l'aies pas vu !)

☞ *Quizá(s), acaso, tal vez* (peut-être) [1] :
> – indicatif + *quizá(s), acaso, tal vez* :
> > *Es quizá el más rápido.* (Il est peut-être le plus rapide.)

---

1. *A lo mejor* (peut-être) est toujours employé avec l'indicatif puisqu'il exprime une probabilité très forte :
> *A lo mejor voy con vosotros.* (J'irai peut-être avec vous.)

– *quizá(s), acaso, tal vez* + subjonctif (doute fort) ou indicatif :
Quizás vaya con vosotros. (Il se peut que j'aille avec vous.)
Quizás lo hace por ti. (Peut-être le fait-il pour toi.)

b) Subjonctif dans la subordonnée : la concordance des temps
Dans la plupart des cas, le subjonctif est employé dans une subordonnée.
En espagnol, on doit alors respecter rigoureusement la « concordance
des temps » :

– le subjonctif présent dans les subordonnées de verbes au présent, au
futur, à l'impératif et au passé composé [1] :
Quiere que lo hagas. (Il veut que tu le fasses.)
Querrá que lo hagas. (Il voudra que tu le fasses.)
Ha querido que lo hagas. (Il a voulu que tu le fasses.)

– le subjonctif passé dans les subordonnées de verbes au passé (impar-
fait, passé simple, plus-que-parfait, conditionnel) :
Quería que lo hicieras. (Il voulait que tu le fasses.)
Quiso que lo hicieras. (Il a voulu que tu le fasses.)
Querría que lo hicieras. (Il voudrait que tu le fasses.)

c) Subjonctif en espagnol et en français
• Après un verbe qui exprime la volonté, le souhait, la crainte :
Quiero que vengas. (Je veux que tu viennes.)
Deseaba que lo llamaras. (Il souhaitait que tu l'appelles.)
Temo que lo olvides. (Je crains que tu ne l'oublies.)

• Dans des expressions de besoin, possibilité, sentiment, goût :
Es necesario que lo hagas. (Il faut que tu le fasses.)
Es posible que venga. (Il se peut qu'il vienne.)
Fue una pena que no estuvieras allí. (C'était dommage que tu ne
sois pas là.)
Me gusta que vengas a verme. (J'aime que tu viennes me voir.)

• Après un verbe d'opinion à la forme négative :
No creo que vaya a verla. (Je ne crois pas qu'il aille la voir.)
No pienso que sea necesario. (Je ne pense pas que ce soit nécessaire.)
• Dans une subordonnée de but ou de restriction :
Te lo digo para que lo sepas. (Je te le dis pour que tu le saches.)
Iré contigo a no ser que llueva. (J'irai avec toi à moins qu'il ne
pleuve.)

---

1. L'auxiliaire *haber* étant au présent, la concordance des temps entraîne le subjonctif
présent dans la subordonnée.

3. Le verbe

- Après *el (hecho de) que* (le fait que...) :
  *El (hecho de) que lo **aceptes** me alegra.* (Le fait que tu l'acceptes me réjouit.)

d) Subjonctif en espagnol, infinitif en français

Pour exprimer un ordre indirect (après un verbe d'ordre, souhait, désir, conseil, interdiction, prière, etc.) :
  *Le dijo que **abriera** la ventana.* [1] (Il lui dit d'ouvrir la fenêtre.)
  *Te pido que no **vengas**.* (Je te demande de ne pas venir.)
  *Me aconseja que **sea** prudente.* (Il me conseille d'être prudent.)
  *Nos sugieren que lo **hagamos** juntos.* (Ils nous suggèrent de le faire ensemble.)

Quelques verbes (*mandar, ordenar, dejar, permitir, obligar a, prohibir*) acceptent deux constructions : *que* + subjonctif ou simplement l'infinitif :
  Les prohíbe que vayan a buscarlo. ⎱
  Les prohíbe ir a buscarlo. ⎰ Il leur interdit d'aller le chercher.

e) Subjonctif en espagnol, futur en français

Dans une subordonnée circonstancielle de temps, de relatif ou comparative à valeur futur (quand la principale est au futur ou à l'impératif) :
  *Cuando **llegue** a casa, te llamaré.* (Quand j'arriverai chez moi, je t'appellerai.)
  *En cuanto **venga** Juan, nos iremos.* (Dès que Juan sera arrivé, nous partirons.)
  *Haz lo que te **diga**.* [2] (Fais ce qu'il te dira.)
  *Irás a donde te **manden**.* (Tu iras là où on te demandera.)
  *Haz como **quieras**.* (Fais comme tu voudras.)
  *Cuanto más **comas**, más engordarás.* (Plus tu mangeras, plus tu grossiras.)

f) Subjonctif en espagnol, indicatif en français

– Dans la subordonnée conditionnelle, quand la condition n'est pas réalisable dans le présent (subjonctif imparfait) ou ne s'est pas réalisée dans le passé (subjonctif plus-que-parfait) :
  *Si lo **conocieras**, no hablarías así.* (Si tu le connaissais, tu ne parlerais pas ainsi.)

---

1. Comparez :
   Me dice que hace frío (*decir que* + indicatif = dire que + indicatif : information).
   Me dice que cierre la ventana (*decir que* + subjonctif = dire de + infinitif : ordre).
2. Comparez :
   Haz lo que te dice. (Fais ce qu'il te dit : il est en train de te le dire.)
   Haz lo que te diga. (Fais ce qu'il te dira : il va te le dire.)

*Si lo **hubieras conocido,** no hablarías así.* (Si tu l'avais connu, tu ne parlerais pas ainsi.)

– Après *como si* (comme si) :
... *como si **pudiera...*** (... comme si je pouvais...)
... *como si **hubiera podido...*** (... comme si j'avais pu...)

IV. IMPÉRATIF

L'impératif espagnol compte un seul temps (présent) mais cinq personnes grammaticales, puisque les troisièmes personnes (singulier et pluriel) sont employées comme formes de politesse.
Seules les deuxièmes personnes (singulier et pluriel) présentent une forme particulière ; les trois autres empruntent leur forme au subjonctif présent.

(tú)	= 3^e pers. sing. de l'indicatif présent
(usted)	= 3^e pers. sing. du subjonctif présent
(nosotros)	= 1^e pers. pl. du subjonctif présent
(vosotros)	= infinitif, en remplaçant le -r final par un -d
(ustedes)	= 3^e pers. pl. du subjonctif présent

cantar	comer	vivir
-	-	-
canta	come	vive
cante	coma	viva
cantemos	comamos	vivamos
cantad	comed	vivid
canten	coman	vivan

☞ Impératifs irréguliers (2e personne du singulier irrégulière) :

decir	→ *di*		*salir*	→ *sal*
hacer	→ *haz*		*ser*	→ *sé*
ir	→ *ve*		*tener*	→ *ten*
poner	→ *pon*		*venir*	→ *ven*

☞ Comme en français, l'enclise des pronoms est obligatoire avec l'impératif ; en espagnol, le pronom est soudé à l'impératif. En cas de double pronom, l'ordre C.O.I. + C.O.D. est toujours respecté (voir plus haut, page 28) :
¡Cómpralo! (Achète-le !)
¡Cómpramelo! (Achète-le-moi !)
¡Cómpraselo! (Achète-le-lui ! ou Achète-le-leur !)

3. Le verbe

Dans le cas des verbes pronominaux, la première et la deuxième personnes du pluriel perdent le -s et le -d final respectivement avant d'ajouter le pronom réfléchi en enclise :

¡Sentémonos! (Sentemos -s + nos) (Asseyons-nous !)
¡Sentaos! (Sentad -d + os) (Asseyez-vous !)

V. Les Formes impersonnelles

1. L'infinitif

L'infinitif exprime l'action dans son état pur. Il fait partie d'une phrase qui comporte un verbe conjugué et il est l'équivalent d'un nom, pouvant remplir différentes fonctions :

a) Sujet, précédé ou non de l'article ou d'un déterminant :
Andar es saludable. (Marcher est bon pour la santé.)
Me gusta nadar. (J'aime nager / Nager me plaît.)
Su cantar era muy agradable. (Sa façon de chanter était très agréable.)

b) Attribut (après un verbe copulatif) :
Lo importante es actuar. (Ce qui est important, c'est d'agir.)
Querer es poder. (Vouloir, c'est pouvoir.)

c) Complément d'objet :
¿Queréis venir? (Voulez-vous venir ?)

d) Complément circonstanciel :
Después de haber comido, se fue. (Après avoir mangé, il partit.)

L'infinitif passé est formé avec *haber* et le participe passé du verbe :
haber cantado (avoir chanté)

2. Le gérondif

Apparenté à l'adverbe, le gérondif exprime la simultanéité ou la durée.

a) **Formation**

v. en -*ar* = radical + *ando* *cantando*
v. en -*er* et en -*ir* = radical + *iendo* *comiendo, viviendo*

☞ Gérondifs irréguliers [1] :
- les verbes en -*ir* à affaiblissement et à alternance : *e → i* et *o → u*
Ex. *pedir* (demander)→ *pidiendo* *mentir* (mentir) → *mintiendo*
dormir (dormir) → *durmiendo* *morir* (mourir) → *muriendo*

---

1. Les verbes en -*aer*, -*eer*, -*oer*, -*oir*, -*uir* présentent une modification orthographique dans la terminaison du gérondif (-iendo → *yendo*) : *leer* (lire) → *leyendo*.

• *reír* (rire)	→ *riendo*	*venir* (venir)	→ *viniendo*
decir (dire)	→ *diciendo*	*ir* (aller)	→ *yendo*
poder (pouvoir)	→ *pudiendo*		

☞ L'enclise est obligatoire : les pronoms (C.O.D., C.O.I. ou réfléchis) se placent après le gérondif, soudés à celui-ci [1] : *cantándola* (en la chantant).

Le gérondif passé est formé avec l'auxiliaire *haber* au gérondif, suivi du participe passé du verbe : *habiendo dormido* (en ayant dormi).
L'enclise demeure obligatoire : *habiéndolo hecho*...

b) Emplois

• *gérondif* = en ...ant (complément de manière) :
  Bajan las escaleras cantando. (Ils descendent l'escalier en chantant.)

• *estar + gérondif* = être en train de + infinitif (l'action en cours) :
  Está leyendo. (Il est en train de lire.)

• *seguir + gérondif* = continuer à/de + infinitif (la continuité de l'action) :
  Sigue escribiendo. (Il continue à écrire.)

• *ir + gérondif* = peu à peu (action qui se déroule de façon progressive) :
  Va mejorando. (Il s'améliore peu à peu.)

• *pasarse* [temps] *gérondif* = passer [temps] à + infinitif :
  Se pasa horas cantando. (Il passe des heures à chanter.)

• *llevar* [temps] *gérondif* = cela fait [temps] que + verbe / verbe + depuis [temps] :
  Lleva horas hablando. (Cela fait des heures qu'il parle / Il parle depuis des heures.)

3. Le participe passé

Le participe passé fonctionne comme un adjectif. Il est invariable quand il fait partie d'un temps composé, mais présente des variations de genre et de nombre dans les autres cas.

---

1. Dans une périphrase verbale (verbe conjugué + gérondif) les pronoms se placent soit devant la forme conjuguée, soit après le gérondif :
  Estoy leyéndolo / Lo estoy leyendo (Je suis en train de le lire).

3. Le verbe

a) Formation

v. en -*ar* = radical + *ado*   *cantado*
v. en -*er* et en -*ir* = radical + *ido*   *comido, vivido*

☞ Principaux participes passés irréguliers[1] :

abrir (ouvrir)	*abierto*	*poner* (mettre)	*puesto*
cubrir (couvrir)	*cubierto*	*resolver* (résoudre)	*resuelto*
decir (dire)	*dicho*	*romper* (rompre)	*roto*
escribir (écrire)	*escrito*	*satisfacer* (satisfaire)	*satisfecho*
hacer (faire)	*hecho*	*ver* (voir)	*visto*
morir (mourir)	*muerto*	*volver* (retourner)	*vuelto*

Les composés de ces verbes ont la même irrégularité.

– les verbes en -*scribir* ont leur participe passé en -*scrito* :
   suscribir (souscrire) *suscrito*   *inscribir* (inscrire)   *inscrito*
   describir (décrire) *descrito*   *prescribir* (prescrire)*prescrito*
– les verbes en -*olver* ont leur participe passé en -*uelto* :
   absolver (acquitter)*absuelto*   *disolver* (dissoudre) *disuelto*

b) Emplois

• *haber* + participe passé (invariable) = temps composés :
   He comido. (J'ai mangé.)
   Habíamos llegado. (Nous étions arrivés.)

• *ser* + participe passé (accordé) = voix passive (accepte un complément agent) :
   Ana fue nombrada tesorera. (Ana a été nommée trésorière.)
   Ana y Juan fueron nombrados tesoreros. (Ana et Juan ont été nommés trésoriers.)

• *estar* + participe passé (accordé) indique le résultat d'une action (n'accepte pas de complément agent) :
   Cuando llegamos, la puerta estaba abierta. (Quand nous sommes arrivés, la porte était ouverte.)

• *seguir* + participe passé (accordé) indique un état qui persiste :
   ¿Sigues preocupada? (Tu es toujours inquiète ?)

• *quedarse* + participe passé (accordé) indique un résultat ou conséquence :
   Me quedé dormida. (Je me suis endormie.)

---

1. Certains verbes présentent deux participes passés : l'un, régulier, est utilisé pour former les temps composés ; l'autre, irrégulier, est utilisé comme adjectif.
Exemples : *absorber* (**absorbido / absorto**), *confundir* (**confundido / confuso**), *despertar* (**despertado / despierto**), *freír* (**freído / frito**), *imprimir* (**imprimido / impreso**), etc.

- Dans une subordonnée de temps (dans ce cas, le participe précède son sujet) :
  Terminada la película, *nos invitó a su casa*. (Une fois le film fini, il nous invita chez lui.)

VI. TOURNURES VERBALES PROPRES À L'ESPAGNOL

1. L'aspect de l'action

LE DÉBUT :	LE DÉROULEMENT :
ir a + infinitif *Va a hacerlo.* (Il va le faire.)	*estar* + gérondif *Está leyendo.* (Il est en train de lire.)
estar para / a punto de + infinitif *Está a punto de hacerlo.* Il est sur le point de le faire. *Estaba para hacerlo.*	*ir* + gérondif *Va aprendiendo.* (Il apprend peu à peu.)
ponerse a + infinitif *Se puso a cantar.* (Il se mit à chanter.)	La continuité : *seguir / continuar* + gérondif *Sigue trabajando.* ⎫ Il continue à *Continúa trabajando.* ⎰ travailler.
echarse a + infinitif *Se echó a reír.* (Il se mit à rire.)	La durée : *pasar(se)* + temps + gérondif *Se pasa horas leyendo.* (Il passe des heures à lire.)
empezar /comenzar a + infinitif *Empieza a leer.* ⎫ Commence à lire ! *Comienza a leer.* ⎰	*llevar* + temps + gérondif *Lleva tres días lloviendo.* (Il pleut depuis trois jours / Cela fait trois jours qu'il pleut.)
LA FIN : *acabar de* + infinitif *Acaba de salir.* (Il vient de sortir.)	La répétition : *volver a* + infinitif *Vuelve a llover.* (Il pleut à nouveau.)
acabar por + infinitif *Acabé por decírselo.* (J'ai fini par le lui dire.)	L'habitude : *soler* + infinitif *Suele madrugar.* (Il a l'habitude de se lever tôt.)
dejar de + infinitif *Dejó de fumar.* (Il a arrêté de fumer.)	
LE RÉSULTAT : *dejar* + participe *Lo deja agotado.* (Cela le laisse épuisé.)	
quedarse + participe *Se quedó agotado.* (Il en est sorti épuisé.)	

3. Le verbe

2. L'obligation

a) L'obligation personnelle :

« Tu dois le faire / Il faut que tu le fasses »

tener que + infinitif	*Tienes que hacerlo.*
deber + infinitif	*Debes hacerlo.*
haber de + infinitif	*Has de hacerlo.*
ser necesario que + subjonctif	*Es necesario que lo hagas.*
(*ser preciso / menester que* +subj.)	
hacer falta que + subjonctif	*Hace falta que lo hagas.*

b) L'obligation impersonnelle (générale) :

« Il faut le lui dire »

hay que + infinitif	*Hay que decírselo.*
ser necesario + infinitif	*Es necesario decírselo.*
(*ser preciso / menester* + infinitif)	
hacer falta + infinitif	*Hace falta decírselo.*

3. « *Gustar* » et « *doler* »

Observez :
A mí ne gusta leer. (Moi, j'aime lire.)
Me gustan sus novelas. (J'aime ses romans.)
Le duele la cabeza. (Il a mal à la tête.)
A Juan le duelen las rodillas. (Juan a mal aux genoux.)

☞ Remarquez :
- le sujet (*leer, sus, novelas, la cabeza, las rodillas*) est placé après le verbe, en fin de phrase ; ils s'accordent ;
- le pronom personnel C.O.I. (*me, te, le*...) précède obligatoirement le verbe, même quand le C.O.I. est exprimé (*A mí, A Juan*...).

☺ Pour se rappeler la construction espagnole, il suffit de traduire *gustar* par « plaire » et *doler* par « faire mal »[1] :
    Me gusta tu vestido. (Ta robe me plaît.)
    Le duelen las muelas. (*Les dents lui font mal.)

D'autres verbes se construisent de la même façon :
hacer ilusión (faire plaisir)   *encantar* (adorer)

---

1. Mais attention : *Me duele la cabeza.* (J'ai mal à la tête.)
Los zapatos me hacen daño. (Les chaussures me font mal.)

chiflar (raffoler de)

molar (aimer [argot])

interesar (intéresser)
alegrar (réjouir)
molestar (gêner, ennuyer)
emocionar (émouvoir)

importar (importer, intéresser)
apetecer (avoir envie)
extrañar (étonner)
impresionar (impressionner)

dar igual (être égal)
dar vergüenza (faire honte)
dar lástima (faire pitié)

dar miedo (faire peur)
dar asco (dégoûter)
dar pena (faire de la peine)

> *Le hizo ilusión el regalo.* (Le cadeau lui a fait plaisir.)
> *Les gusta caminar.* (Ils aiment marcher.)
> *¿Te apetece ir al cine?* (As-tu envie d'aller au cinéma ?)
> *Le da miedo hacerlo.* (Il a peur de le faire.)

VII. *Ser* ou *Estar* ?

Le verbe « être » a deux équivalents en espagnol : *ser* et *estar*. Dans la plupart des cas, le choix obéit à des règles simples ; lorsque que le verbe est suivi d'un adjectif ou d'un participe passé, le choix est un peu plus complexe.

☺ En général, « être = *estar* » quand il a le sens de « (se) trouver » ou « se sentir ».

1. *Toujours* « *ser* »

a) *ser* + nom (propre ou commun) :
> *La capital es Madrid.* (La capitale est Madrid.)
> *Juan es un niño encantador.* (Juan est un enfant adorable.)
> *Hoy es lunes.* (Aujourd'hui nous sommes lundi.)

b) *ser* + pronom :
> *Soy yo.* (C'est moi.)
> *Este libro es mío.* (Ce livre est à moi.)
> *Mi libro es éste.* (Mon livre, c'est celui-ci.)
> *El mejor era el tuyo.* (Le meilleur était le tien.)

c) *ser* + numéral (ou mot indiquant la quantité) :
> *Eran muchos.* (Ils étaient très nombreux.)
> *Somos treinta.* (Nous sommes trente.)

3. Le verbe

☞ L'heure : *Son las dos y media.* (Il est 14 h 30.)
                Es la una. (Il est 13 heures.)

☞ La date : *Hoy es uno de enero.* (Aujourd'hui c'est le 1er janvier.)

d) *ser* + infinitif :
   Lo importante es participar. (L'important, c'est de participer.)
   Querer es poder. (Vouloir c'est pouvoir)

e) pour traduire la tournure impersonnelle « c'est, c'était... »[1] :
   ¿Dónde es? Es aquí. (C'est où ? C'est ici.)
   Era otoño. (C'était l'automne.)

f) *ser de* pour indiquer l'origine, l'appartenance, la matière :
   Es de Sevilla. (Il est de Séville.)
   Este libro es de María. (Ce livre est à María.)
   La mesa es de madera. (La table est en bois.)

g) *ser en* dans le sens « avoir lieu » :
   La reunión es en su despacho. (La réunion a lieu dans son bureau.)

h) *ser para* pour indiquer la destination :
   Estas flores son para ti . (Ces fleurs sont pour toi.)
   Estos deberes son para el lunes. (Ces devoirs sont pour lundi.)

2. Toujours « estar »

a) *estar* + lieu ou préposition/adverbe de lieu :
   ¿Dónde estás? Estoy en París. (Où es-tu ? Je suis à Paris.)
   Estaba detrás de la mesa. (Il était derrière la table.)
   Está detrás. (Il est derrière.)

b) *estar* + position (attitude physique) :
   Estaban sentados. (Ils étaient assis.)
   Está de rodillas. (Ils sont à genoux.)

c) *estar a* + localisation temporelle :
   Estamos a tres de mayo. (Nous sommes le 3 mai.)
   Estamos a principios de año. (Nous sommes en début d'année.)
   ☞ Les saisons : *Estamos en primavera / verano / otoño / invierno.*
   (Nous sommes au printemps / en été /en automne / en hiver.)

---

1. Exceptions : c'est bien/mal : *está bien / mal* ;
              c'est + participe passé : *está demostrado* (c'est prouvé).

82

d) *estar de / en / por* ... + circonstance :
    Estaban de visita. (Ils étaient en visite.)
    Estamos de vacaciones. (Nous sommes en vacances.)
    Estoy de acuerdo. (Je suis d'accord.)
    Estaba de viaje. (Il était en voyage.)
    Está en peligro. (Il est en danger.)
    Este ejercicio está por terminar. (Cet exercice est à faire.)

c) *estar*, employé seul, peut avoir le sens de « être présent » ou « être prêt » :
    ¿Está Juan? No, no está . (Juan est là ? Non, il n'est pas ici.)
    ¿Todavía no estás? Sí, ya estoy . (Tu n'es pas encore prêt ? Si, je suis prêt.)

f) *estar* + gérondif indique l'action en train de se faire :
    Estoy hablando con Juan. (Je suis en train de parler à Juan.)

g) *estar bien / mal* :
    estar bien (personne : être bien – sain, content)
              (chose : être bien – correct)
    estar mal (personne : être mal, malade)
              (chose : être mal – incorrect)

3. Devant un participe passé : « ser » ou « estar »

ser est employé dans le passif ; la phrase admet un complément agent :
    A las siete, la puerta del colegio es abierta por la portera.
    (À 7 heures, la porte de l'école est ouverte par la gardienne.)

estar indique le résultat de l'action ; la phrase n'admet pas de complément agent :
    Cuando yo llego, a las ocho, la puerta está abierta.
    (Quand j'arrive, à 8 heures, la porte est [déjà] ouverte.)

4. Devant un adjectif : « ser » ou « estar »

ser + adjectif quand il s'agit d'une caractéristique ou qualité essentielle, propre au nom (taille, couleur, forme, nationalité, religion, caractéristique morale, etc.) :
    ser grande, verde, cuadrado, español, musulmán, inteligente...
    (être grand, vert, carré, espagnol, musulman, intelligent...)

estar + adjectif pour indiquer une caractéristique non essentielle,

3. Le verbe

temporaire, un état accidentel (état physique, état moral, circonstance) ; dans la plupart des cas, il traduit « être + adjectif » quand « être » peut être remplacé par « (se) trouver » ou « se sentir » :

> *estar cansado, enfermo, vacío, contento, sorprendido, solo...*
> (être fatigué, malade, vide, content, surpris, seul...)

Ainsi certains adjectifs sont employés uniquement avec *ser* ou avec *estar*. Par exemple :

> *ser absurdo, imposible, importante, increíble, lógico...*
> (être absurde, impossible, important, incroyable, logique...)
> *estar embarazada, enfadado, interesado, preocupado, estropeado...*
> (être enceinte, fâché, intéressé, inquiet, abîmé...)

a) Nuances différentes selon le verbe employé :

Avec certains adjectifs, l'emploi de *ser* ou *estar* exprime des nuances différentes :

Ana es muy guapa.	*Ana está muy guapa.*
(Ana est très belle – toujours.)	(Ana est très belle – aujourd'hui.)
Su abuelo es sordo.	*¿Estás sordo?*
(Son grand-père est sourd.)	(Es-tu sourd ? – puisque tu ne réponds pas.)
Su historia es triste.	*Juan está triste.*
(Son histoire est triste – pas gaie.)	(Juan est triste – pas content.)

b) Signification différente selon le verbe employé :

Certains adjectifs ont un sens différent selon le verbe employé :

ser claro (être clair)	*estar claro* (être clair – évident)
ser negro (être noir – couleur)	*estar negro* (être furieux)
ser verde (être vert – couleur)	*estar verde* (être vert – pas mûr)
ser cuadrado (être carré)	*estar cuadrado* (être musclé)
ser moreno (être brun)	*estar moreno* (être bronzé)
ser molesto (être gênant)	*estar molesto* (être gêné)
ser atento (être attentionné)	*estar atento* (être attentif)
ser despierto (être éveillé)	*estar despierto* (être réveillé)
ser abierto (être extraverti)	*estar abierto* (être ouvert)
ser cerrado (être introverti)	*estar cerrado* (être fermé – pas ouvert)

    ser listo (être intelligent)   *estar listo* (être prêt)
    ser rico (être riche – argent)   *estar rico* (être bon – goût)

☞ *Bueno / malo* :
    ser bueno / malo
    personne : être bon, gentil / méchant
    chose : être de bonne / mauvaise qualité

    estar bueno / malo
    personne : être en bonne santé / malade
    chose : être bon / mauvais (goût)

☞ *estar bueno / a* (familier) = être séduisant(e)

4

La phrase

4. La phrase

I. LA NÉGATION

1. Règle générale

Pour formuler une phrase négative, on place *no* devant le verbe :
   Pedro no está en casa. (Pedro n'est pas chez lui.)
☞ Les pronoms compléments s'intercalent entre *no* et le verbe :
   ¿Por qué no me lo dices? (Pourquoi ne me le dis-tu pas ?)

2. Autres moyens d'indiquer la négation

ne... que	*No bebo más que agua.* (Je ne bois que de l'eau.) *No bebo sino agua.* (Je ne bois que de l'eau.) *Sólo/ Únicamente bebo agua.* (Je bois uniquement de l'eau.)
ne... plus	*Ya no tengo fuerza.* (Je n'ai plus de force.)
ni... ni	*Ni come ni bebe.* (Il ne mange ni ne boit.)
ni	*No llevo medias ni calcetines.* (Je ne porte pas de collants ni de chaussettes.)
même pas	*Ni siquiera sabe dónde estamos.* (Il ne sait même pas où nous sommes.)
ne pas... mais	*No es español sino francés.* (Il n'est pas espagnol mais français.)

☞ *Sino que* + verbe : *No anulo el viaje sino que lo aplazo.*
(Je n'annule pas le voyage, mais je le reporte.)
☞ *No... pero* + proposition négative : *De momento no anulo el viaje, pero tampoco lo aplazo.* (Pour l'instant je n'annule pas le voyage, mais je ne reporte pas non plus.)

   ne pas... mais (en revanche) : *El jardín no tiene árboles, pero sí (tiene) muchas flores.*
   (Le jardin n'a pas d'arbres, mais en revanche il a beaucoup de fleurs.)

   non seulement... mais encore/aussi : *No sólo habla español e inglés, sino también francés y ruso.*
   (Il parle non seulement espagnol et anglais mais aussi français et russe.)

No sólo vio lo que pasó, ***sino que también*** reconoció al asesino.
(Non seulement il a vu ce qui s'est passé, mais de plus il a reconnu
l'assassin.)

☞ Deux constructions possibles :
nunca / jamás, nadie, nada, tampoco, ninguno/a/os/as (pronoms)

1) *nunca, nadie, nada... + verbe*
2) *no + verbe + nunca, nadio, nada...*
   Nunca se sabe = *No* se sabe *nunca.*
      (On ne sait jamais)
      Nadie ha venido. = *No* ha venido *nadie.*
      (Personne n'est venu)

☞ Trois constructions possibles :
ningún, ninguna/os/as (adjectifs, accompagnés d'un nom)

1) *No* + verbe + *ningún... +* nom
2) *No* + verbe + nom + *alguno*
3) *ningún... +* nom + verbe :
      No se oye *ruido alguno.*
      Ningún ruido se oye.
      (On n'entend aucun bruit.)

☞ Expressions :

¡Ni hablar!	*(Il n'en est) pas question !*
¡Eso sí que no!	*Ça non !*
¡En absoluto!	*Pas du tout !*

II. L'INTERROGATION

En espagnol, l'interrogation directe est encadrée par ¿... ?, ce qui permet
d'indiquer à quel moment elle commence et se termine :
      Cuando vayas al cine, ¿me llamarás?
      (Quand tu iras au cinéma, tu m'appelleras ?)

Comme en français, l'intonation monte à l'oral et le sujet se place après
le verbe (inversion) :
      ¿Habla usted español? (Parlez-vous espagnol ?)
      ¿Dónde está tu libro? (Où est ton livre ?)

4. La phrase

Dans l'interrogation totale (réponse « oui / non »), quand le sujet est un nom, il reste placé devant le verbe :

> *¿Tu hermana habla español?* (Ta sœur parle-t-elle espagnol ?)

Les mots interrogatifs (voir page 44...) portent toujours un accent écrit :

> *¿Cómo te llamas?* (Comment t'appelles-tu ?)

La forme interrogative peut se combiner avec la forme négative :

> *¿No has leído su última novela?* (Tu n'as pas lu son dernier roman ?)

☺ Lorsque la réponse est affirmative, la réponse affirmative est toujours *sí*.

> *¿Vienes? Sí, ya voy.* (Tu viens ? Oui, j'arrive.)
>
> *¿No vienes? Sí, ya voy.* (Tu ne viens pas ? Si, j'arrive.)

☞ *¿No?* = N'est-ce pas ?

> *¿De verdad?* = Vraiment ?, C'est vrai ?
>
> *Juan es colombiano, ¿no?* (Juan est colombien, n'est-ce pas ?)
>
> *– Son gemelos. – ¿De verdad?* (Ils sont jumeaux. – C'est vrai ?)

III. L'EXCLAMATION

La phrase exclamative permet d'exprimer divers sentiments. À l'oral, l'intonation marque l'exclamation ; à l'écrit, deux points d'exclamation l'encadrent : *¡... !*
Elle peut porter sur la quantité ou sur la qualité.

- *¡Qué* + nom/adjectif !
  L'exclamation porte sur la qualité :
  > *¡Qué hombre! / ¡Qué mujer!* (Quel homme ! / Quelle femme !)
  >
  > *¡Qué interesante!* (Que /Comme c'est intéressant !)

- *¡Qué* + nom + *tan / más* + adjectif !
  L'exclamation porte sur la qualité :
  > *¡Qué mujer tan interesante!* ⎫
  > *¡Qué mujer más interesante!* ⎭ Quelle femme intéressante !

- *¡Cuánto/a/os/as* + nom !
  L'exclamation porte sur la quantité :
  > *¡Cuánto tiempo!* (Que de temps !)
  >
  > *¡Cuánta paciencia!* (Que de patience !)

¡Cuántos ejercicios! (Que d'exercices !)
¡Cuántas preguntas! (Que de questions !)

- *¡Cuánto / Cómo* + verbe !
L'exclamation porte sur un verbe :
quantité : *¡Cuánto habla!* (Il parle vraiment trop !)
qualité : *¡Cómo habla!* (Comme il parle bien !)

IV. LA VOIX PASSIVE

Moins employée qu'en français, la forme passive se construit de la même manière :

actif	passif
Los militares arrestaron a su madre en 1973. (Les militaires arrêtèrent sa mère en 1973.) *Goya pintó « El tres de mayo ».* (Goya peignit *El tres de mayo*.)	*Su madre **fue arrestada** por los militares en 1973.* (Sa mère fut arrêtée par les militaires en 1973.) *« El tres de mayo » **fue pintado** por Goya.* (El tres de mayo) fut peint par Goya.

- le C.O.D. de la forme active devient sujet de la forme passive ;
- le sujet de la forme passive devient complément agent de la forme passive, introduit par la préposition *por* ;
- le verbe de la forme active est remplacé par *ser* [1] (conjugué au même temps que le verbe de la forme active) suivi du **participe passé** du verbe, **accordé** avec le sujet passif ;
- on emploie la forme passive quand on souhaite mettre en valeur le sujet du verbe ;
- on l'évite lorsque le sujet actif est un pronom.

Autres moyens d'exprimer le passif

- *se* + 3ᵉ personne (forme pronominale à sens passif), lorsque le complément agent n'est pas exprimé. Très utilisée en espagnol :

---

1. Ne pas confondre le passif (*ser* + participe passé) avec *estar* suivi d'un participe passé, qui exprime le résultat de l'action (description d'un état) et qui n'admet pas de complément agent :
La puerta estaba abierta cuando llegamos.
(La porte était [déjà] ouverte quand nous sommes arrivés.)

4. La phrase

> *Todos los componentes se fabrican en China.*
> (Tous les éléments sont fabriqués en Chine = On fabrique tous les éléments en Chine.)

☞ Cette construction demande l'accord singulier / pluriel avec le sujet :
> *En Cataluña se hablan dos lenguas : castellano y catalán.*
> (En Catalogne, [on parle] deux langues [sont parlées] : espagnol et catalan.)

☞ *Se vende / Se alquila* = À vendre / à louer.

• C.O.D. en tête de phrase, repris par un pronom complément, et sujet – s'il y en a un – après le verbe :
> *Tu pasaporte ya lo encontraron.* (Ton passeport a déjà été trouvé.)
> *A su madre la detuvieron los militares.* (Sa mère fut arrêtée par les militaires.)

V. LA MISE EN RELIEF

Les tournures d'insistance « c'est... que », « c'est... qui » sont plus employées en français qu'en espagnol, qui préfère jouer sur la place des mots ou l'insertion d'un pronom :
> *Lo hice yo.* (C'est moi qui l'ai fait.)
> *Se lo dijo Ana.* (C'est Ana qui le lui a dit.)
> *Entonces me reconoció.* (C'est alors qu'il m'a reconnu.)

1. Mise en relief du sujet

personne :	*ser + quien / quienes*
personne ou chose :	*ser + el que / la que / los que / las que*

☞ Le verbe *ser* est conjugué au même temps que celui de la subordonnée et s'accorde (personne) avec le nom ou pronom qui le suit.
☞ Le verbe de la subordonnée peut s'accorder soit avec le sujet de *ser* soit avec le relatif (3e personne).
> *Es Ana quien tiene que hacerlo.* (C'est Ana qui doit le faire.)
> *Fui yo quien se lo dije.* }
> *Fui yo quien se lo dijo.* } (C'est moi qui le lui ai dit.)

2. Mise en relief du C.O.D.

personne :	ser + a + quien / quienes
	ser + al que / a la que / a los que / a las que
personne ou chose :	ser + el que / la que / los que / las que

☞ Le verbe *ser* est conjugué au même temps que celui de la subordonnée.

> *Fue a Ana a la que llamaron.* (C'est Ana qu'on a appelée.)
> *Era a sus padres a quienes quería ver.* (Ce sont ses parents que je voulais voir.)

3. Mise en relief d'un complément circonstanciel : c'est... que

	complément + ser + cuando / donde / por lo que / como
ou	ser + complément + cuando / donde / por lo que / como

☞ Le verbe *ser* est conjugué au même temps que celui de la subordonnée.

☞ « Que » se traduit en fonction du sens (temps, lieu, manière, cause) :

> *El verano pasado fue* **cuando** *nos conocimos.*
> (C'est l'été dernier que nous nous sommes rencontrés.)
> *Aquí es* **donde** *trabajo.*
> (C'est ici que je travaille.)
> *Es así* **como** *debes hacerlo.*
> (C'est ainsi que tu dois le faire.)
> *Por insultarle es* **por lo que** *le castigaron.*
> (C'est pour l'avoir insulté qu'on l'a puni.)

☺ Pour traduire les différentes formules françaises d'insistance, il suffit de « poser » la question pour retrouver la subordonnée (l'interrogatif devient alors relatif), que l'on fera précéder de *ser* (conjugué au même temps que la subordonnée) :

> C'est María qui l'a cassé.
> « Question » : *¿Quién lo rompió?*
> Traduction → *María fue* **quien** *lo rompió.*

> C'est en travaillant dur qu'il est devenu riche.
> « Question » : *¿Cómo se hizo rico?*
> Traduction → *Trabajando mucho fue* **como** *se hizo rico.*

VI. Coordination

Les conjonctions de coordination introduisent un élément ou proposition de même valeur syntaxique que le précédent (il n'y a pas de rapport de subordination). Voici les principales :

- *y* (et) *Se levantó y salió.* (Il s'est levé et il est sorti.)

  ☞ *e* devant un mot commençant par i- ou hi- :
  Se levantó e inició su discurso. (Il se leva et commença son discours.)

- *ni* (ni) No come ni bebe. ⎫
              Ni come ni bebe. ⎬ Il ne mange ni ne boit.

- *o* (ou) *¿Eres español o hispanoamericano?* (Es-tu espagnol ou latino-américain ?)

  ¿Entras o sales? (Tu entres ou tu sors ?)

  ☞ *u* devant un mot commençant par o- ou ho- :
  Había setenta u ochenta personas. (Il y avait 70 ou 80 personnes.)

- *o... o, ora... ora, bien... bien, ya... ya*

  (ou bien... ou bien, tantôt... tantôt
  O entras o sales. (Ou bien tu rentres ou bien tu sors.)
  Sale con sus amigas, ora al teatro ora alcine.

  (Elle sort avec ses amies, tantôt au théâtre, tantôt au cinéma.)

  ☞ Le deuxième terme peut être introduit simplement par *o*

- *sea... sea, sea.... o* (soit... soit)
  Iré a verlo sea al lunes sea al martes.
  (J'irai le voir soit lundi soit mardi.)
- *o sea / esto es / es decir* (c'est-à-dire)
  Ojos glaucos, o sea verdes... (Yeux glauques, c'est-à-dire verts...)

VIII. Subordination

1. La proposition subordonnée relative

Elle est introduite par un relatif (voir page 46). Ce relatif remplace un nom ou pronom, dit « antécédent », qui apparaît dans la proposition principale et dont la subordonnée dépend :

El coche que está aparcado detrás del mío es el de Juan.

(La voiture qui est garée derrière la mienne est celle de Juan.)

La subordonnée relative peut préciser le sens de l'antécédent, le décrire ou apporter une explication.

☞ En espagnol, le verbe de la subordonnée relative peut être à l'indicatif ou au subjonctif ; le subjonctif introduit une notion d'éventualité, d'hypothèse :

*Le daré el que **tengo** repetido.*
(Je lui donnerai celui que j'ai en double.)
*Le daré el que **tenga** repetido.*
(Je lui donnerai celui que j'aurai en double.)

*Se hospeda en un hotel donde **admiten** perros.*
(Il est logé dans un hôtel où les chiens sont acceptés.)
*Busca un hotel donde **admitan** perros.*
(Il cherche un hôtel où les chiens soient acceptés.)

*No hay medicamento que **pueda** curarla.*
(Il n'y a pas de médicament qui puisse la guérir.)

☺ Subordonnée relative au subjonctif en espagnol quand elle est soit au subjonctif soit au futur en français.

☞ La traduction de « dont » :

a) **dont** (complément de verbe ou d'un adjectif)
= *del que, de la que, de los que, de las que*
de quien, de quienes (antécédent = personne)
La mujer de quien hablas. ⎫
La mujer de la que hablas. ⎭ La femme dont tu parles.)
El coche del que hablas. (La voiture dont tu parles.)
El libro del que estoy más orgulloso.
(Le livre dont je suis le plus fier.)

b) **dont le / la / les** (complément d'un nom)
= *cuyo / cuya / cuyos / cuyas,* accordé avec le nom qui le suit :
Granada, cuyo monumento más conocido es la Alhambra...
(Grenade, dont le monument le plus connu est l'Alhambra...)
Granada, cuyas casas encaladas...
(Grenade, dont les maisons peintes à la chaux...)

☞ Remarquez l'absence d'article après *cuyo*...

Cuyo peut être précédé d'une préposition (complément de nom qui dépend d'un verbe qui exige une préposition) :
Es la chica en cuya casa viví durante años.

4. La phrase

(C'est la fille chez qui [dans la maison de laquelle] j'ai habité pendant des années.)
(la casa de la chica = la chica cuya casa ;
viví en la casa de la chica = la chica en cuya casa viví)

2. La proposition subordonnée complétive et le discours indirect

Elle fonctionne comme complément d'objet direct du verbe de la principale (il est toujours possible de la remplacer par le pronom « lo ») :
La subordonnée peut être :
– à l'infinitif : *Quiero hacerlo.*
– une interrogation indirecte :
No sé de dónde es. (Je ne sais pas d'où il est.)
Me preguntó si era español. (Il m'a demandé si j'étais espagnol.)
– introduite par la conjonction *que* :
Creo que tienes razón. (Je pense que tu as raison.)
Quiero que lo hagas. (Je veux que tu le fasses.)
No creo que lo sepa. (Je ne pense pas qu'il le sache.)

☞ Le discours indirect (voir plus bas) rentre dans cette catégorie :
Me dijo que estabas con él. (Il m'a dit que tu étais avec lui.)
Me pide que salga. (Il me demande de sortir.)

Le mode de la subordonnée dépend du verbe. Elle est au subjonctif :

• après des verbes qui expriment un sentiment ou un point de vue :
Me extraña que no esté aquí. (Je suis étonné qu'il ne soit pas ici.)
No creo que lo sepa. [1] (Je ne pense pas qu'il le sache.)
Deseaba que lo hicieras. (Il souhaitait que tu le fasses.)
Temo que se lo diga. (Je crains qu'il ne le lui dise.)

• pour exprimer l'ordre indirect :
Te ruego que lo hagas. (Je te prie de le faire.)
Me dijo que no lo cogiera. (Il m'a dit de ne pas le prendre.)
Me prohibió que lo llamara. (Il m'a interdit de l'appeler.)

Le passage du discours direct au discours indirect entraîne des modifications :
JUAN : « ¡Ana! Ya soy director de departamento. Mañana te invitaré a cenar para que celebremos mi promoción. »

---

1. Remarquez : *Creo que lo sabe.* (Je pense qu'il le sait.)
    No creo que lo sepa. (Je ne pense pas qu'il le sache.)

→ *Juan dice a Ana* **que** *ya* **es** *director de departamento y* **que** *mañana* **la invitará** *a cenar para que* **celebren** *su promoción.*

→ *Juan dijo a Ana* **que** *ya* **era** *director de departamento y* **que** *al* **día siguiente la invitaría** *a cenar para que* **celebrasen** *su promoción.*

(JUAN : « Ana ! Je suis directeur de département. Demain je t'inviterai à dîner pour que nous fêtions ma promotion. »

→ Juan dit à Ana qu'il est directeur de département et que demain il l'invitera à dîner pour qu'ils fêtent sa promotion.

→ Juan a dit à Ana qu'il était directeur de département et que le lendemain il l'inviterait à dîner pour qu'ils fêtent sa promotion.)

Ces modifications sont similaires en français et en espagnol : ponctuation, personne grammaticale, temps (si le verbe introducteur est au passé), possessifs, pronoms personnels, expressions de temps, etc.
Cependant, l'ordre indirect présente en espagnol une construction particulière (voir plus bas).

• Verbes introducteurs
Le verbe *decir* (dire) est le plus courant, mais il en existe beaucoup d'autres qui permettent de nuancer le discours rapporté. En voici quelques-uns :

aconsejar (conseiller)	*precisar* (préciser)
añadir (ajouter)	*preguntar* (demander – question)
anunciar (annoncer)	*prohibir* (interdire)
confesar (confesser)	*proponer* (proposer)
indicar (indiquer)	*repetir* (répéter)
mandar (ordonner)	*responder* (répondre)
negar (nier)	*rogar* (prier)
ordenar (ordonner)	*sugerir* (suggérer)
pedir (demander – exiger)	*suplicar* (supplier)

• Mode de la subordonnée en espagnol
Dans le passage du discours direct au discours indirect, seul l'ordre indirect présente un changement de mode :

indicatif	reste	indicatif
subjonctif	reste	subjonctif
☞ impératif	devient	subjonctif

4. La phrase

«*Soy* español.»   (« Je suis espagnol. »)
Le dice que es español.   (Il lui dit qu'il est espagnol.)
Le dijo que era español.   (Il lui a dit qu'il était espagnol.)

«*Quiero que vengas.*»   (« Je veux que tu viennes. »)
Le dice que quiere que venga.   (Il lui dit qu'il veut qu'il vienne.)
Le dijo que quería que viniera .   (Il lui a dit qu'il voulait qu'il vienne.)

«*¡Levántate !*»   (« Lève-toi ! »)
☞ *Le dice que se levante.*   (Il lui dit de se lever.)
☞ *Le dijo que se levantara.*   (Il lui a dit de se lever.)

☞ **L'interrogation indirecte = indicatif**
Comme en français, elle est introduite par :
– un interrogatif :
    *Le pregunta **dónde** vive.* (Il lui demande où il habite.)
– *si* (interrogative totale)
    *Le pregunta **si** es francés.* (Il lui demande s'il est français.)

☞ **L'ordre indirect = subjonctif**
En espagnol, l'impératif du discours direct devient subjonctif (présent ou passé, selon le temps de la principale) dans l'ordre indirect :
    Le sugiere que se presente. (Il lui suggère de se présenter.)
    Le sugirió que se presentara. (Il lui suggéra de se présenter.)

☞ Dire que + indicatif = ***decir que*** + indicatif :
    Dice que hace buen tiempo. (Il dit qu'il fait beau.)

Dire de + infinitif = ***decir que*** + subjonctif :
    Le dice que salga. (Il lui dit de sortir.)

☞ Demander + question indirecte = ***preguntar*** + question indirecte :
    Le pregunta cómo se llama. (Il lui demande comment il s'appelle.)
    Le preguntó si era francés. (Il lui demanda s'il était français.)

Demander de + infinitif = ***pedir que*** + subjonctif
    Le pide que salga. (Il lui demande de sortir.)
    Le pidió que se fuera. (Il lui demanda de s'en aller.)

3. *La cause*

a) Subordonnée à l'indicatif
    porque (parce que) :
    Lo compró porque le gustaba. (Il l'a acheté parce qu'il l'aimait.)

☞ **Que** peut parfois introduire la cause :
Acuéstate, que es tarde. (Couche-toi, [parce qu'] il est tard.)

ya que / puesto que / dado que (puisque, étant donné) :
Ya que estás listo... (Puisque tu es prêt...)

como (comme) [1] :
Como llovía, no vinieron.
(Comme il pleuvait, ils ne sont pas venus.)

b) Préposition + infinitif
por + infinitif passé :
Lo castigaron por haber pegado a su hermano.
(Il a été puni pour avoir frappé son frère.)

a fuerza de + infinitif :
A fuerza de intentarlo, lo consiguió.
(À force d'essayer, il y est arrivé.)

On peut aussi exprimer la cause au moyen d'une préposition suivie d'un nom ou d'un pronom :

por	*Por su culpa.* (À cause de lui – par sa faute.)
debido a	*Debido a la sequía.* (À cause de la sécheresse.)
gracias a	*Gracias a el.* (Grâce à lui.)
a causa de	*A causa del mal tiempo.* (À cause du mauvais temps.)

☞ Les participes passés **dado** et **visto** s'accordent avec le nom :

dado/a/os/as	*Dadas sus ideas...* (Étant donné ses idées...)
visto/a/os/as	*Vistos los resultados...* (Vu les résultats...)

4. Le but

Le but (finalité, objectif, intention) est exprimé à l'aide :
— de l'infinitif, quand le sujet des deux actions (principale et subordonnée) est le même ;
— d'une subordonnée au subjonctif, quand le sujet de la subordonnée est différent de celui de la principale.

---

1. Remarquez la différence :
como + indicatif = cause (*Como no está, no podemos empezar*) ;
como + subjonctif = condition (*Como no venga, no podremos empezar*).

4. La phrase

Préposition + infinitif (Sujet de la subordonnée = sujet de la principale)	Subordonnée au subjonctif (Sujet de la subordonnée ≠ sujet de la principale)
para *Me llamó para explicarme su idea.* (Il m'a appelé pour m'expliquer son idée.)	*para que* *Me llamó para que le explicara su idea.* (Il m'a appelé pour que je lui explique mon idée.)
por (verbe impliquant l'effort) *Lo hizo por ayudarte.* (Il l'a fait pour t'aider.)	*por que* [1] *Luchaba por que ella sanara.* (Il se battait pour qu'elle guérisse.)
a (après un verbe de mouvement) *Viene a jugar contigo.* (Il vient pour jouer avec toi.)	*a que* (après un verbe de mouvement) *Ha venido a que juegues con él.* (Il est venu pour que tu joues avec lui.)
a fin de / con el fin de *A fin de mejorar los resultados...* (Afin d'améliorer les résultats...)	*a fin de que / con el fin de que* *A fin de que tus notas mejoren...* (Afin que tes notes s'améliorent...)
con intención de *Con intención de salir al día siguiente...* (Dans le but de sortir le lendemain...)	*con intención de que* *Con intención de que lo oyeras...* (Dans le but que tu l'entendes...)
por miedo / temor a *Por temor a lastimarse...* (Par crainte de se faire mal...)	*por miedo / temor a que* *Por temor a que te lastimaras...* (Par crainte que tu te fasses mal...)
de manera a *De manera a evitarlo...* (De façon à l'éviter...)	*de manera que / de modo que* [2] *De manera que puedas evitarlo...* (De façon que tu puisses l'éviter...)
a (après un verbe d'exhortation : *invitar, obligar...*). Le sujet de la subordonnée est différent de celui de la principale. *Te invito a cenar.* (Je t'invite à dîner.)	

---

1. ☞ Ne pas confondre :
    porque (parce que, cause) : *Lo hago porque quiero. (Je le fais parce que je le veux.)*
    por que (pour que, but, avec effort) : *Lucha por que seas libre. (Lutte pour devenir libre.)*
    por que (par lequel, laquelle..., relative) : *La ventana por que se asoma... (La fenêtre par laquelle il se montre.)*
2. ☞ *De manera / modo que* + indicatif = conséquence.

5. *La conséquence*

La conséquence s'exprime généralement à l'indicatif, introduite par des conjonctions ou des locutions conjonctives, telles que :

luego (donc, déduction logique, langue soutenue) ·
por lo tanto (de ce fait)   *por eso* (c'est pourquoi)
en consecuencia (par conséquent)   *por lo que / cual* (de ce fait)
de manera/modo que (de sorte que) *así (pues)* (ainsi [donc])

Pienso, luego existo. (Je pense, donc je suis.)
No lo vio por eso se fue. (Il ne le vit pas ; c'est pourquoi il partit.)

tan(to)... que [1]
La subordonnée, introduite par *que*, est annoncée dans la principale par *tan / tanto / tanta / tantos / tantas* (tant [de], si, tellement), exprimant ainsi une idée soit d'intensité soit de quantité :

a) tanto que
   Trabaja tanto que va a caer enfermo.
   (Il travaille tellement/tant qu'il va tomber malade.)

b) tan+ **adjectif / adverbe** + que
   Habla tan rápido que es difícil entenderlo.
   (Il parle si vite qu'il est difficile de le comprendre.)

c) tanto / tanta / tantos / tantas + nom [2] + que
   Había tanta gente que era imposible moverse.
   (Il y avait tant de monde qu'on ne pouvait pas bouger.)

☞ Le verbe au conditionnel exprime l'éventualité, le désir :
   Estoy tan cansado... que me acostaría ahora mismo.
   (Je suis si fatigué... que je me coucherais tout de suite.)

☞ *De ahí que* (et de ce fait, d'où) + subjonctif :
   No me llamó, de ahí que no te avisara. (Il ne m'a pas appelé et de ce fait je ne t'ai pas prévenu.)

☞ *Como para* + infinitif, *como para que* + subjonctif :
   Tengo demasiado trabajo como para poder salir hoy contigo.
   (J'ai trop de travail pour pouvoir sortir aujourd'hui avec toi.)

---

1. Ne pas confondre avec la comparaison d'égalité : *tan(to)... como*.
2. Le nom peut être sous-entendu : *Hay tantos que...* (Il y en a tellement que...)

4. La phrase

No hay nieve suficiente como para que puedas esquiar.
(Il n'y a pas assez de neige pour que tu puisses faire du ski.)

6. L'opposition

En général, le verbe est à l'indicatif et la subordonnée est introduite par une conjonction ou une expression d'opposition :

pero (mais) :
Vino pero no se quedó. (Il est venu mais il n'est pas resté.)

☞ **No... sino** (ne pas... mais) :
No es español sino chileno. (Il n'est pas espagnol mais chilien.)

no sólo sino también :
No sólo lo habla sino que también lo escribe. (Non seulement il le parle mais il l'écrit aussi.)

☞ **No... pero sí** :
No me gustan las fresas pero sí las cerezas. (Je n'aime pas les fraises, mais en revanche j'aime les cerises.)

mientras que (tandis que, alors que – opposition)[1] :
Son gemelas, pero Ana es rubia mientras que María es morena.
(Elles sont jumelles, mais Ana est blonde tandis que María est brune.)

por el contrario, al contrario (tandis que, au contraire)
Ana es rubia ; María, al contrario, es morena.
(Ana est blonde ; María, au contraire, est brune.)

sin embargo, no obstante (cependant) :
Creo que es auténtico ; sin embargo, es mejor consultar un especialista. (Je crois que c'est authentique ; cependant, il vaut mieux consulter un spécialiste.)
(Je pense que c'est un vrai ; cependant, il vaut mieux consulter un expert.)

---

1. Ne pas confondre :
mientras que (alors que, opposition) : *El es rubio, mientras que ella es morena.* (Il est blond alors qu'elle est brune.)
mientras (alors que, pendant que, simultanéité) : *Trabaja mientras yo me ducho.* (Travaille pendant que je prends ma douche.)
durante (pendant, durée) : *Trabaja durante las vacaciones.* (Il travaille pendant les vacances.)

en vez de, en lugar de (au lieu de) + infinitif :
> *En vez de ver tanto la tele, vete al jardín.*
> (Au lieu de tant regarder la télé, va au jardin.)

7. *La concession*

La subordonnée de concession exprime un obstacle (réel ou éventuel) ou un effort qui n'aboutit pas.

a) Obstacle réel (indicatif) qui n'empêche pas la réalisation :
aunque / a pesar de que + indicatif (bien que + subjonctif) :
> *Aunque llueve, iremos al cine.*
> *A pesar de que llueve, iremos al cine.* } Bien qu'il pleuve, nous irons au cinéma.

☞ Autres constructions possibles :
> *a pesar de / pese a* (malgré) + nom / infinitif : *A pesar de la lluvia, iremos al cine.*
> *aun* + gérondif : *Aun lloviendo, iremos al cine.*

b) Obstacle éventuel (subjonctif) qui n'empêche pas la réalisation :
aunque / a pesar de que / aun cuando / así + subjonctif (même si + indicatif) :
> *Aunque llueva, iremos al cine.*
> *A pesar de que llueva...*
> *Aun cuando llueva...*
> *Así llueva...* } Même s'il pleut, nous irons au cinéma.

c) L'effort qui n'aboutit pas (« avoir beau ») :
por más / mucho que + indicatif (effort réel) :
> *Por mucho que estudia, no aprueba.*
> (Il a beau étudier, il ne réussit pas.)

por más / mucho que + subjonctif (hypothèse, éventualité) :
> *Por mucho que estudie, no aprobará.*
> (Il aura beau étudier, il ne réussira pas.)

por (muy) + adverbe/adjectif + *que* + subjonctif (doute) :
> *Por (muy) inteligente que sea, no encontrará la solución.*
> (Il a beau être intelligent, il ne trouvera pas la solution.)

8. *Le temps*

Les propositions subordonnées de temps permettent de situer deux actions l'une par rapport à l'autre, en indiquant simultanéité, antériorité ou postériorité.

a) Subordonnée à l'indicatif ou au subjonctif :

La subordonnée de temps peut être introduite par :

cuando (quand)   *en cuanto* (dès que)

tan pronto como (aussitôt que, dès que)
en el momento en que (au moment où)

mientras (pendant que, tant que)   *apenas* (à peine... que) *hasta que* (jusqu'à ce que)

       según / conforme / a medida que (au fur et à mesure que
       Apenas **llegue**, *empezaremos*.
       (Dès qu'il arrivera, nous commencerons.)

       En cuanto llegó, salimos.
       (Dès qu'il est arrivé, nous sommes partis.)

       Mientras **estés** *aquí, no corres peligro.*
       (Tant que tu seras ici, tu ne seras pas en danger.)

       Nos quedamos hasta que anocheció.
       (Nous sommes restés jusqu'à ce que la nuit tombe.)

☞ En espagnol, la subordonnée de temps ne peut pas s'exprimer ni au futur ni au conditionnel ; dans ces deux cas, l'aspect d'éventualité de l'action entraîne le subjonctif :
       Te llamaré cuando **pueda**.
       (Je t'appellerai quand je pourrai.)
       Dijo que lo haría en cuanto **llegara**.
       (Il a dit qu'il le ferait dès qu'il arriverait.)
       Llámame cuando **hayas llegado**.
       (Appelle-moi quand tu seras arrivé.)

☺ Le futur français de la subordonnée est rendu par un subjonctif présent, le conditionnel par un subjonctif passé.

☞ *antes de que* (avant que) entraîne le subjonctif dans la subordonnée :
Quiero terminarlo antes de que llegue.
(Je veux le finir avant qu'il arrive.)

☞ *desde que* (depuis que) entraîne l'indicatif dans la subordonnée :
Desde que empezó a trabajar, parece otro.
(Depuis qu'il a commencé à travailler, il semble différent.)

b) *al* + infinitif :

Traduit généralement par un gérondif en français, *al* + infinitif est l'équivalent de *en cuanto* + verbe conjugué :
Me llamó al llegar (= en cuanto llegó.)
(Il m'a appelé en arrivant [dès qu'il est arrivé].)
Llámame al llegar (= en cuanto llegues).
(Appelle-moi [dès que tu arriveras] en arrivant.)

☞ *Nada más* + infinitif = dès que, après avoir... : *Me llamó nada más llegar* (Il m'a appelé dès qu'il est arrivé.)

☞ *Antes de, después de* peuvent aussi être suivis d'un infinitif :
Antes de salir, lo llamé. (Avant de sortir, je l'ai appelé.)
Después de verte, lo llamé. (Après t'avoir vu, je l'ai appelé.)

c) Le gérondif :

Bien que le gérondif indique généralement la manière, il peut aussi exprimer la simultanéité de l'action :
Entrando en el aula, lo vio. (En entrant dans la classe, il le vit.)

9. *La condition*

Si...

Comme en français, l'espagnol permet de présenter une condition sous trois angles :

Condition réalisable (la condition concerne le futur) :	
subordonnée :	principale :
Si + présent	futur / futur proche / impératif / présent

Si puedo, lo haré. (Si je peux, je le ferai.)

4. La phrase

Condition hypothétique ou irréalisable (la condition concerne le présent mais elle ne peut pas se réaliser) :

subordonnée :   principale :
Si + imparfait du subjonctif   conditionnel

Si pudiera, lo haría. (Si je pouvais, je le ferais.)

Condition qui ne s'est pas réalisée (la condition concerne le passé) :

subordonnée :   principale :
Si + plus-que-parfait du subjonctif conditionnel passé ou
                                       plus-que-parfait
                                       du subjonctif

Si hubiera podido, lo habría hecho.⎫ Si j'avais pu, je l'aurais
Si hubiera podido, lo hubiera hecho.⎭ fait.

☺ Dans la phrase conditionnelle :

français :	espagnol :
si + imparfait de l'indicatif	= si + imparfait du subjonctif
si + plus-que-parfait de l'indicatif	= si + plus-que-parfait du subjonctif

☞ Comme en français, lorsque la subordonnée exprime l'antériorité, d'autres combinaisons de temps s'imposent :

Si ya lo has leído, devuélveselo. (Si tu l'as déjà lu, rends-le-lui !)
Si me hubierais escuchado, no estaríamos así. (Si vous m'aviez écouté, nous n'en serions pas là.)

☞ Ne pas confondre le *si* conditionnel avec le *si* temporel :

Si no llueve, saldremos de paseo.
(S'il ne pleut pas, nous irons faire une promenade.)
Si no llueve, salimos de paseo = **Cuando** *no llueve...* (Quand il ne pleut pas, nous faisons une promenade.)

☞ *Como si...* (comme si, comparaison avec un fait irréel) est suivi en espagnol du subjonctif imparfait ou plus-que-parfait :

... como si fuera posible (comme si c'était possible)
... como si hubiera podido (comme si j'avais pu)

Autres moyens d'exprimer la condition

a) **proposition subordonnée à l'indicatif** :
   si no (sinon, sans quoi) + présent / futur
   Ponte ptros zapatos, si no, no entras / entrarás.
   (Mets d'autres chaussures, sinon, tu ne peux pas entrer.)

   o / de lo contrario / en caso contrario + présent / futur
   Ponte otros zapatos o no entras.
   Ponte otros zapatos, en caso contrario no entrarás.

   si acaso (au cas où, si) + indicatif présent
   Si acaso llega, díselo. (S'il arrive, dis-le-lui.)

b) **proposition subordonnée au subjonctif** :
   como + subjonctif = si + indicatif :
   Como venga, no le abriré. (S'il vient, je ne lui ouvrirai pas.)

   en (el) caso de que (au cas où, si) + subjonctif
   En el caso de que no te guste, puedes cambiarlo.
   (Au cas où il ne te plaît pas, tu peux le changer.)

   siempre y cuando / siempre que / a condición de que (si toutefois,
   à condition que) + subjonctif
   Lo haría a condición de que me lo pidieras.
   (Je le ferais à condition que tu me le demandes.)

   a menos que / salvo que / a no ser que (à moins que) + subjonctif
   Lo llamaré a menos que prefieras que no lo haga.
   (Je l'appellerai à moins que tu préfères que je ne le fasse pas.)

   por poco que (pour peu que) + subjonctif
   Por poco que lo intentes, lo conseguirás.
   (Pour peu que tu essaies, tu réussiras.)

   con (tal) (de) que (il suffit que) + subjonctif
   Con que lo sepas... (Il suffit que tu le saches...)

   subjonctif... o (subjonctif) ([soit] que... [soit] que) :
   Llueva o no llueva. (Qu'il pleuve ou pas.)

c) **préposition + infinitif** :
   a condición de + infinitif
   Podréis matricularos a condición de aprobar el examen.
   (Vous pourrez vous inscrire à condition de réussir l'examen.)

de + infinitif
De llegar antes, me avisas. (Si tu arrives avant, préviens-moi.)
De saberlo, te lo diría. (Si je le savais, je te le dirais.)

con sólo / sólo de (rien que) + infinitif
Sólo de / Con sólo imaginarlo. (Rien que de l'imaginer.)

Annexes

Orthographe et prononciation
Tableaux de conjugaison

Orthographe et prononciation
(consonnes)

Pron.	Orthogr.	+a	+e	+i	+o	+u	Français
[b]	b	ba	be	bi	bo	bu	*b*
	v	va	ve	vi	vo	vu	*b*
[θ]	za, zo, zu	za			zo	zu	(« th » anglais)
	ce, ci		ce	ci			
[ʃ]	ch	cha	che	chi	cho	chu	*tch*
[d]	d	da	de	di	do	du	*d*
[f]	f	fa	fe	fi	fo	fu	*f / ph*
[g]	ga, go, gu	ga			go	gu	*g*
	gue, gui		gue	gui			*gue, gui*
[x]	j	ja	je	ji	jo	ju	(h aspiré anglais)
	+ ge, gi		ge	gi			
[k]	ca, co, cu	ca			co	cu	*c / qu*
	que, qui		que	qui			*qu*
[l]	l	la	le	li	lo	lu	*l*
[λ]	ll	lla	lle	lli	llo	llu	–
	y	ya	ye	yi	yo	yu	
[m]	m	ma	me	mi	mo	mu	*m*
[n]	n	na	ne	ni	no	nu	*n*
[ɲ]	ñ	ña	ñe	ñi	ño	ñu	*gn*
[p]	p	pa	pe	pi	po	pu	*p*
[r]	r entre voyelles	ra	re	ri	ro	ru	–
[rr]	r-	ra	re	ri	ro	ru	–
	-rr- entre voyelles	rra	rre	rri	rro	rru	
	-nr, -lr, -sr	ra	re	ri	ro	ru	
[s]	s	sa	se	si	so	su	*ss*
[t]	t	ta	te	ti	to	tu	*t, th*
[ks]	x	xa	xe	xi	xo	xu	*x*

Tableaux de conjugaison

Verbes réguliers

Infinitif	Présent de l'indicatif	Présent du subjonctif	Impératif	Imparfait de l'indicatif	Passé simple	Imparfait du subjonctif	Futur	Conditionnel	Gérondif / Part. passé
cantar	cant o	cant e	—	cant aba	cant é	cant ara	cantar é	cantar ía	
	as	es	cant a	abas	aste	aras	ás	ías	cant ando
	a	e	e	aba	ó	ara	á	ía	
	amos	emos	emos	ábamos	amos	áramos	emos	íamos	
	áis	éis	ad	abais	asteis	arais	éis	íais	cant ado
	an	en	en	aban	aron	aran	án	ían	
comer	com o	com a	—	com ía	com í	com iera	comer é	comer ía	
	es	as	com e	ías	iste	ieras	ás	ías	com iendo
	e	a	a	ía	ió	iera	á	ía	
	emos	amos	amos	íamos	imos	iéramos	emos	íamos	
	éis	áis	ed	íais	isteis	ierais	éis	íais	com ido
	en	an	an	ían	ieron	ieran	án	ían	
vivir	viv o	viv a	—	viv ía	viv í	viv iera	vivir é	vivir ía	
	es	as	viv e	ías	iste	ieras	ás	ías	viv iendo
	e	a	a	ía	ió	iera	á	ía	
	imos	amos	amos	íamos	imos	iéramos	emos	íamos	
	ís	áis	id	íais	isteis	ierais	éis	íais	viv ido
	en	an	an	ían	ieron	ieran	án	ían	

Verbes à diphtongue

Infinitif	Présent de l'indicatif	Présent du subjonctif	Impératif	Imparfait de l'indicatif	Passé simple	Imparfait du subjonctif	Futur	Conditionnel	Gérondif / Part. passé
tender e → ie	tiendo tiendes tiende tendemos tendéis tienden	tienda tiendas tienda tendamos tendáis tiendan	– tiende tienda tendamos tended tiendan	tendía tendías tendía tendíamos tendíais tendían	tendí tendiste tendió tendimos tendisteis tendieron	tendiera tendieras tendiera tendiéramos tendierais tendieran	tenderé tenderás tenderá tenderemos tenderéis tenderán	tendería tenderías tendería tenderíamos tenderíais tenderían	tendiendo tendido
contar o → ue	cuento cuentas cuenta contamos contáis cuentan	cuente cuentes cuente contemos contéis cuenten	– cuenta cuente contemos contad cuenten	contaba contabas contaba contábamos contabais contaban	conté contaste contó contamos contasteis contaron	contara contaras contara contáramos contarais contaran	contaré contarás contará contaremos contaréis contarán	contaría contarías contaría contaríamos contaríais contarían	contando contado

Verbes à alternance

Infinitif	Présent de l'indicatif	Présent du subjonctif	Impératif	Imparfait de l'indicatif	Passé simple	Imparfait du subjonctif	Futur	Conditionnel	Gérondif / Part. passé
sentir e → ie / i	siento sientes siente sentimos sentís sienten	sienta sientas sienta sintamos sintáis sientan	– siente sienta sintamos sentid sientan	sentía sentías sentía sentíamos sentíais sentían	sentí sentiste sintió sentimos sentisteis sintieron	sintiera sintieras sintiera sintiéramos sintierais sintieran	sentiré sentirás sentirá sentiremos sentiréis sentirán	sentiría sentirías sentiría sentiríamos sentiríais sentirían	sintiendo sentido
dormir o → ue / u	duermo duermes duerme dormimos dormís duermen	duerma duermas duerma durmamos durmáis duerman	– duerme duerma durmamos dormid duerman	dormía dormías dormía dormíamos dormíais dormían	dormí dormiste durmió dormimos dormisteis durmieron	durmiera durmieras durmiera durmiéramos durmierais durmieran	dormiré dormirás dormirá dormiremos dormiréis dormirán	dormiría dormirías dormiría dormiríamos dormiríais dormirían	durmiendo dormido

Infinitif	Présent de l'indicatif	Présent du subjonctif	Impératif	Imparfait de l'indicatif	Passé simple	Imparfait du subjonctif	Futur	Conditionnel	Gérondif / Part. passé
Verbes à affaiblissement									
servir	sirvo	sirva	–	servía	serví	sirviera	serviré	serviría	sirviendo
e → i	sirves	sirvas	sirve	servías	serviste	sirvieras	servirás	servirías	
	sirve	sirva	sirva	servía	sirvió	sirviera	servirá	serviría	servido
	servimos	sirvamos	sirvamos	servíamos	servimos	sirviéramos	serviremos	serviríamos	
	servís	sirváis	servid	servíais	servisteis	sirvierais	serviréis	serviríais	
	sirven	sirvan	sirvan	servían	sirvieron	sirvieran	servirán	servirían	
Verbes en -ducir									
deducir	deduzco	deduzca	–	deducía	deduje	dedujera	deduciré	deduciría	deduciendo
	deduces	deduzcas	deduce	deducías	dedujiste	dedujeras	deducirás	deducirías	
	deduce	deduzca	deduzca	deducía	dedujo	dedujera	deducirá	deduciría	deducido
	deducimos	deduzcamos	deduzcamos	deducíamos	dedujimos	dedujéramos	deduciremos	deduciríamos	
	deducís	deduzcáis	deducid	deducíais	dedujisteis	dedujerais	deduciréis	deduciríais	
	deducen	deduzcan	deduzcan	deducían	dedujeron	dedujeran	deducirán	deducirían	
Verbes en -acer, -ecer, -ocer, -ucir									
conocer	conozco	conozca	–	conocía	conocí	conociera	conoceré	conocería	conociendo
	conoces	conozcas	conoce	conocías	conociste	conocieras	conocerás	conocerías	
	conoce	conozca	conozca	conocía	conoció	conociera	conocerá	conocería	conocido
	conocemos	conozcamos	conozcamos	conocíamos	conocimos	conociéramos	conoceremos	conoceríamos	
	conocéis	conozcáis	conoced	conocíais	conocisteis	conocierais	conoceréis	conoceríais	
	conocen	conozcan	conozcan	conocían	conocieron	conocieran	conocerán	conocerían	
Verbes en -uir									
huir	huyo	huya	–	huía	huí	huyera	huiré	huiría	huyendo
	huyes	huyas	huye	huías	huiste	huyeras	huirás	huirías	
	huye	huya	huya	huía	huyó	huyera	huirá	huiría	
	huimos	huyamos	huyamos	huíamos	huimos	huyéramos	huiremos	huiríamos	
	huis	huyáis	huid	huíais	huisteis	huyerais	huiréis	huiríais	huido
	huyen	huyan	huyan	huían	huyeron	huyeran	huirán	huirían	

VERBES IRRÉGULIERS INDÉPENDANTS

Infinitif	Présent de l'indicatif	Présent du subjonctif	Impératif	Imparfait de l'indicatif	Passé simple	Imparfait du subjonctif	Futur	Conditionnel	Gérondif / Part. passé
andar	ando	ande	–	andaba	anduve	anduviera	andaré	andaría	andando
	andas	andes	anda	andabas	anduviste	anduvieras	andarás	andarías	
	anda	ande	ande	andaba	anduvo	anduviera	andará	andaría	
	andamos	andemos	andemos	andábamos	anduvimos	anduviéramos	andaremos	andaríamos	andado
	andáis	andéis	andad	andabais	anduvisteis	anduviérais	andaréis	andaríais	
	andan	anden	anden	andaban	anduvieron	anduvieran	andarán	andarían	
caber	quepo	quepa	–	cabía	cupe	cupiera	cabré	cabría	cabiendo
	cabes	quepas	cabe	cabías	cupiste	cupieras	cabrás	cabrías	
	cabe	quepa	quepa	cabía	cupo	cupiera	cabrá	cabría	
	cabemos	quepamos	quepamos	cabíamos	cupimos	cupiéramos	cabremos	cabríamos	
	cabéis	quepáis	cabed	cabíais	cupisteis	cupierais	cabréis	cabríais	cabido
	caben	quepan	quepan	cabían	cupieron	cupieran	cabrán	cabrían	
caer	caigo	caiga	–	caía	caí	cayera	caeré	caería	cayendo
	caes	caigas	cae	caías	caíste	cayeras	caerás	caerías	
	cae	caiga	caiga	caía	cayó	cayera	caerá	caería	
	caemos	caigamos	caigamos	caíamos	caímos	cayéramos	caeremos	caeríamos	
	caéis	caigáis	caed	caíais	caísteis	cayerais	caeréis	caeríais	caído
	caen	caigan	caigan	caían	cayeron	cayeran	caerán	caerían	
dar	doy	dé	–	daba	di	diera	daré	daría	dando
	das	des	da	dabas	diste	dieras	darás	darías	
	da	dé	dé	daba	dio	diera	dará	daría	
	damos	demos	demos	dábamos	dimos	diéramos	daremos	daríamos	
	dais	deis	dad	dabais	disteis	dierais	daréis	daríais	dado
	dan	den	den	daban	dieron	dieran	darán	darían	

Infinitif	Présent de l'indicatif	Présent du subjonctif	Impératif	Imparfait de l'indicatif	Passé simple	Imparfait du subjonctif	Futur	Conditionnel	Gérondif / Part. passé
decir	digo dices dice decimos decís dicen	diga digas diga digamos digáis digan	– di diga digamos decid digan	decía decías decía decíamos decíais decían	dije dijiste dijo dijimos dijisteis dijeron	dijera dijeras dijera dijéramos dijerais dijeran	diré dirás dirá diremos diréis dirán	diría dirías diría diríamos diríais dirían	diciendo dicho
estar	estoy estás está estamos estáis están	esté estés esté estemos estéis estén	– está esté estemos estad estén	estaba estabas estaba estábamos estabais estaban	estuve estuviste estuvo estuvimos estuvisteis estuvieron	estuviera estuvieras estuviera estuviéramos estuvierais estuvieran	estaré estarás estará estaremos estaréis estarán	estaría estarías estaría estaríamos estaríais estarían	estando estado
haber	he has ha hemos habéis han	haya hayas haya hayamos hayáis hayan	– he haya hayamos habed hayan	había habías había habíamos habíais habían	hube hubiste hubo hubimos hubisteis hubieron	hubiera hubieras hubiera hubiéramos hubierais hubieran	habré habrás habrá habremos habréis habrán	habría habrías habría habríamos habríais habrían	habiendo habido
hacer	hago haces hace hacemos hacéis hacen	haga hagas haga hagamos hagáis hagan	– haz haga hagamos haced hagan	hacía hacías hacía hacíamos hacíais hacían	hice hiciste hizo hicimos hicisteis hicieron	hiciera hicieras hiciera hiciéramos hicierais hicieran	haré harás hará haremos haréis harán	haría harías haría haríamos haríais harían	haciendo hecho

Infinitif	Présent de l'indicatif	Présent du subjonctif	Impératif	Imparfait de l'indicatif	Passé simple	Imparfait du subjonctif	Futur	Conditionnel	Gérondif / Part. passé
ir	voy	vaya	–	iba	fui	fuera	iré	iría	yendo
	vas	vayas	ve	ibas	fuiste	fueras	irás	irías	
	va	vaya	vaya	iba	fue	fuera	irá	iría	
	vamos	vayamos	va(ya)mos	íbamos	fuimos	fuéramos	iremos	iríamos	ido
	vais	vayáis	id	ibais	fuisteis	fuerais	iréis	iríais	
	van	vayan	vayan	iban	fueron	fueran	irán	irían	
oír	oigo	oiga	–	oía	oí	oyera	oiré	oiría	oyendo
	oyes	oigas	oye	oías	oíste	oyeras	oirás	oirías	
	oye	oiga	oiga	oía	oyó	oyera	oirá	oiría	
	oímos	oigamos	oigamos	oíamos	oímos	oyéramos	oiremos	oiríamos	oído
	oís	oigáis	oíd	oíais	oísteis	oyerais	oiréis	oiríais	
	oyen	oigan	oigan	oían	oyeron	oyeran	oirán	oirían	
poder	puedo	pueda	–	podía	pude	pudiera	podré	podría	pudiendo
	puedes	puedas	puede	podías	pudiste	pudieras	podrás	podrías	
	puede	pueda	pueda	podía	pudo	pudiera	podrá	podría	
	podemos	podamos	podamos	podíamos	pudimos	pudiéramos	podremos	podríamos	podido
	podéis	podáis	poded	podíais	pudisteis	pudierais	podréis	podríais	
	pueden	puedan	puedan	podían	pudieron	pudieran	podrán	podrían	
poner	pongo	ponga	–	ponía	puse	pusiera	pondré	pondría	poniendo
	pones	pongas	pon	ponías	pusiste	pusieras	pondrás	pondrías	
	pone	ponga	ponga	ponía	puso	pusiera	pondrá	pondría	
	ponemos	pongamos	pongamos	poníamos	pusimos	pusiéramos	pondremos	pondríamos	puesto
	ponéis	pongáis	poned	poníais	pusisteis	pusierais	pondréis	pondríais	
	ponen	pongan	pongan	ponían	pusieron	pusieran	pondrán	pondrían	

Infinitif	Présent de l'indicatif	Présent du subjonctif	Impératif	Imparfait de l'indicatif	Passé simple	Imparfait du subjonctif	Futur	Conditionnel	Gérondif / Part. passé
querer	quiero quieres quiere queremos queréis quieren	quiera quieras quiera queramos queráis quieran	— quiere quiera queramos quered quieran	quería querías quería queríamos queríais querían	quise quisiste quiso cuisimos quisisteis quisieron	quisiera quisieras quisiera quisiéramos quisierais quisieran	querré querrás querrá querremos querréis querrán	querría querrías querría querríamos querríais querrían	queriendo querido
saber	sé sabes sabe sabemos sabéis saben	sepa sepas sepa sepamos sepáis sepan	— sabe sepa sepamos sabed sepan	sabía sabías sabía sabíamos sabíais sabían	supe supiste supo supimos supisteis supieron	supiera supieras supiera supiéramos supierais supieran	sabré sabrás sabrá sabremos sabréis sabrán	sabría sabrías sabría sabríamos sabríais sabrían	sabiendo sabido
salir	salgo sales sale salimos salís salen	salga salgas salga salgamos salgáis salgan	— sal salga salgamos salid salgan	salía salías salía salíamos salíais salían	salí saliste salió salimos salisteis salieron	saliera salieras saliera saliéramos salierais salieran	saldré saldrás saldrá saldremos saldréis saldrán	saldría saldrías saldría saldríamos saldríais saldrían	saliendo salido
ser	soy eres es somos sois son	sea seas sea seamos seáis sean	— sé sea seamos sed sean	era eras era éramos erais eran	fui fuiste fue fuimos fuisteis fueron	fuera fueras fuera fuéramos fuerais fueran	seré serás será seremos seréis serán	sería serías sería seríamos seríais serían	siendo sido

Infinitif	Présent de l'indicatif	Présent du subjonctif	Impératif	Imparfait de l'indicatif	Passé simple	Imparfait du subjonctif	Futur	Conditionnel	Gérondif / Part. passé
tener	tengo	tenga	–	tenía	tuve	tuviera	tendré	tendría	teniendo
	tienes	tengas	ten	tenías	tuviste	tuvieras	tendrás	tendrías	
	tiene	tenga	tenga	tenía	tuvo	tuviera	tendrá	tendría	
	tenemos	tengamos	tengamos	teníamos	tuvimos	tuviéramos	tendremos	tendríamos	
	tenéis	tengáis	tened	teníais	tuvisteis	tuvierais	tendréis	tendríais	
	tienen	tengan	tengan	tenían	tuvieron	tuvieran	tendrán	tendrían	tenido
traer	traigo	traiga	–	traía	traje	trajera	traeré	traería	trayendo
	traes	traigas	trae	traías	trajiste	trajeras	traerás	traerías	
	trae	traiga	traiga	traía	trajo	trajera	traerá	traería	
	traemos	traigamos	traigamos	traíamos	trajimos	trajéramos	traeremos	traeríamos	
	traéis	traigáis	traed	traíais	trajisteis	trajerais	traeréis	traeríais	
	traen	traigan	traigan	traían	trajeron	trajeran	traerán	traerían	traído
valer	valgo	valga	–	valía	valí	valiera	valdré	valdría	valiendo
	vales	valgas	vale	valías	valiste	valieras	valdrás	valdrías	
	vale	valga	valga	valía	valió	valiera	valdrá	valdría	
	valemos	valgamos	valgamos	valíamos	valimos	valiéramos	valdremos	valdríamos	
	valéis	valgáis	valed	valíais	valisteis	valierais	valdréis	valdríais	
	valen	valgan	valgan	valían	valieron	valieran	valdrán	valdrían	valido
venir	vengo	venga	–	venía	vine	viniera	vendré	vendría	viniendo
	vienes	vengas	ven	venías	viniste	vinieras	vendrás	vendrías	
	viene	venga	venga	venía	vino	viniera	vendrá	vendría	
	venimos	vengamos	vengamos	veníamos	vinimos	viniéramos	vendremos	vendríamos	
	venís	vengáis	venid	veníais	vinisteis	vinierais	vendréis	vendríais	
	vienen	vengan	vengan	venían	vinieron	vinieran	vendrán	vendrían	venido
ver	veo	vea	–	veía	vi	viera	veré	vería	viendo
	ves	veas	ve	veías	viste	vieras	verás	verías	
	ve	vea	vea	veía	vio	viera	verá	vería	
	vemos	veamos	veamos	veíamos	vimos	viéramos	veremos	veríamos	
	veis	veáis	ved	veíais	visteis	vierais	veréis	veríais	
	ven	vean	vean	veían	vieron	vieran	verán	verían	visto

CATALOGUE LIBRIO (extraits)

MÉMO

Nathalie Baccus
Conjugaison française - n° 470
Grammaire française - n° 534
Orthographe française - n° 596

Axelle Beth, Elsa Marpeau
Figures de style - n° 710

Mathilde Brindel, Frédéric Hatchondo
Jeux de cartes, jeux de dés - n° 705

Anne-Marie Bonnerot
Conjugaison anglaise - n° 558
Grammaire anglaise - n° 601

Jean-Pierre Colignon
Difficultés du français - n° 642

Philippe Dupuis
En coédition avec le journal Le Monde

Mots croisés–1 -
50 grilles et leurs solutions - n° 699

Mots croisés–2 -
50 grilles et leurs solutions - n° 700

Mots croisés–3 -
50 grilles et leurs solutions - n° 706

Mots croisés–4 -
50 grilles et leurs solutions - n° 707

Frédéric Eusèbe
Conjugaison espagnole - n° 644

Daniel Ichbiah
Solfège - *Nouvelle méthode simple et amusante en 13 leçons* - n° 602

Pierre Jaskarzec
Le français est un jeu - n° 672

Maria Dolores Jennepin
Grammaire espagnole - n° 712

Mélanie Lamarre
Dictées pour progresser - n° 653

Micheline Moreau
Latin pour débutants - n° 713

Irène Nouailhac, Carole Narteau
Mouvements littéraires - n° 711

Damien Panerai
Dictionnaire de rimes - n° 671

Jean-Bernard Piat
Vocabulaire anglais courant - n° 643

Mathieu Scavannec
Le calcul - *Précis d'algèbre et d'arithmétique* - n° 595

REPÈRES

Pierre-Valéry Archassal
La généalogie, mode d'emploi - n° 606

Bettane et Desseauve
Guide du vin - *Connaître, déguster et conserver le vin* - n° 620

Sophie Chautard
Guerres et conflits du XXe siècle - n° 651

David Cobbold
Le vin et ses plaisirs - *Petit guide à l'usage des néophytes* - n° 603

Clarisse Fabre
Les élections, mode d'emploi - n° 522

Daniel Ichbiah
Dictionnaire des instruments de musique - n° 620

Jérôme Jacobs
Fêtes et célébrations - *Petite histoire de nos coutumes et traditions* - n° 594

Claire Lalouette
Dieux et pharaons de l'Égypte ancienne - n° 652

Jean-Marc Schiappa
La Révolution française 1789-1799 - n° 696

Jérôme Schmidt
Génération manga - *Petit guide du manga et de la japanimation* - n° 619

Gilles Van Heems
Dieux et héros de la mythologie grecque - n° 593

Patrick Weber
Abrégé d'histoire de l'art - *Peinture, sculpture, architecture de l'Antiquité à nos jours* - n° 714
Les rois de France - *Biographie et généalogie des 69 rois de France* - n° 650

Martin Winckler
Séries télé - *De* Zorro *à* Friends, *60 ans de téléfictions américaines* - n° 670

LITTÉRATURE

Librio

712

Composition PCA – 44400 Rezé
Achevé d'imprimer en France par Aubin
en août 2006 pour le compte de E.J.L.
87, quai Panhard-et-Levassor, 75013 Paris
Dépôt légal août 2006
1er dépôt légal dans la collection : juin 2005

Diffusion France et étranger : Flammarion